樊馨

世上是不是有神仙2

生命不僅僅如此

辟穀記 上

目次

1
辟穀第一天

二〇〇五年九月十七日。辟穀第一天。

我沒有變成精靈，也沒有聞雞起舞、騰雲駕霧，依舊像一個人一樣醒來了。

二〇〇五年九月十七日。辟穀第一天。

我沒有變成精靈，也沒有聞雞起舞、騰雲駕霧，依舊像一個人一樣醒來了。我以爲在開頂之後再睜開眼睛，天地都會感覺變了形狀，看得更加眞切一些。沒有。房間還是房間，潮氣依舊是潮氣，窗外牆上的修眞圖依然讓我只能夠看出是一個人形。

我只多了三件事：首先戴上帽子。爾後冷水沖澡（昨天有博友問我可不可以洗頭？當然不可能可以啊，潮氣都防，還洗頭？那就眞的是洗腦子了）。再三：練昨晚學會的功。兩套功，很費了一些時間。

完成後趕到小院裡，大家的「行步功」我只趕上了一個尾巴。但是尾巴自己也依照規定，孤獨堅持到了最後，做完了。

到餐廳，正好大家吃完早飯。平時我吃早飯就少，就沒有什麼遺憾地在旁邊的球桌上和生的偉大打乒乓球。道長說過，辟穀期間盡量多運動。

無話不說捏著半只白煮雞蛋正細細品味，自言自語：「到底是開了中脈了，一天不吃飯，打球都冒著仙氣兒！什麼時候輪到我呢？我們是不是應該成立一個仙友會，工會那樣的意思，大夥兒幫著一塊兒說說，也讓我得救……」

生的偉大呵呵笑著打球：「你已經得救了，你看我，沒有生病都得救了，何況你生病是有緣分的……」

無話不說吞下手指頭上的最後一點雞蛋：「倒算是良性意識……」

不同於以往有生之年的第一個中午來臨。

午飯的音樂婀娜。大家以一種相當熱烈的姿態，渲染著去了餐廳（就是反覆誘惑，想拉我也去餐廳的表現）。胖子，不用他們渲染就混跡其中一起去了。

在我的細心識辨之下，似乎有一些似是而非的變化：空氣清香、清香無比。雖然還沒有超越以往空氣清香的記憶，但是，強烈到我根本不願意像以往一樣「聞飯菜香而動」。反而飯菜的香味兒裡面，躥動著一種分辨不出來的讓我噁心的架勢，逼迫我遠離廚房。

＊＊＊

我坐在院子草地上。中午大樹的陰影短小成了一團，靜靜覆蓋著我。有輕飄飄的感覺，分不清是錯覺還是實際。也許也是肚中無食鬧的？

道長從樓裡出來，他看見了草地上躲在小小一團樹蔭下的我：「感覺怎麼樣？練功了嗎？」

我搖頭：「中午的功還沒有練。怎麼想到吃飯，聞到飯菜的香味兒還有些噁心？」

道長笑：「說明你確實應該離開人間煙火一陣子了！」

我心中暗喜：「這就算神仙了嗎？」

道長：「什麼也不吃地好好活著，可能是你說的神仙了吧！」

我抬頭看天。蔚藍的天，有飄動的白雲。

我：「道長，你餓嗎？我想問一個問題，上次你說了很多神仙的事情，但是，究竟什麼是神仙，我還是很想知道……」

（私情：我聯想到已經開始的不食人間煙火，最好在道長的講述中暗示一下我這樣就算走上神仙之路了，而不是像是安慰我的——可能是「你說的神仙了吧」這樣的句式。）

道長笑。

我得寸進尺：「如果我這樣算是走上神仙道了，那我是不是有可能經歷不同維度空間的生命？」

我的思維有種要從小腦袋瓜子裡面飛躍出來馳騁藍天的衝動……

道長坐了下來：「神和仙是兩個概念，但是我們經常把它們混同起來說。就像我們說命運，緣分，其實命和運也是兩個概念，緣和分也是，都不是一回事，只是我們都已經習慣把它們連通起來說。」

我點頭。微風拂面，清香、清香無比！

道長：「我們道家把修行最高的一種修煉生命的狀態，定位叫神仙。在軒轅黃帝創立的中國道文化以前，神仙的概念都比較普及，上古的人們和天地相溝通，已經知道生命一些實相的東西。而在先秦以前，對神和仙是有很明確區分的。神是先天自然之神，仙是後天在世俗中修煉得道之人，也就是說，仙是需要進行修行才辦得到，像我們現在透過這些功法的修行，用性命雙修的原則。我們修煉的目的就是要成仙，成仙而得道。但是神就不一樣。而另一方面，我們每個人都有神，每個人都有精氣神，神就在我們的生命中。我們都有元神，所以才會元神出竅。眾生都有神，都有元神，只不過有品級和存在狀態的區別。」

我：「那我現在是在修仙？」

道長微笑：「仙是需要修煉的，把我們體內的神透過特殊的修行方式、經過修行，轉變我們肉身的狀況。在今生轉變我們自已生命的狀況，就稱爲仙。」

道長用手指在半空中比劃：「這個仙字是人和一個山的共同體，人在山中謂成仙。還有原來的寫法是一個人，下面是一個山，山上的人，人在山上升起的意思。仙的意思，如果在古寫中，我們看見是一個人加上變遷的『遷』（僊）字的意思。我們生命體的躍遷，也稱之爲仙。」

我：「哪一個狀態更加高級一點？」

道長：「神是要到一定的因緣才能變化的，而我們的仙是透過我們今天的修行就能變化。從秦以後，中國人長期把神和仙兩者混在一起，『神仙神仙』就叫到一起了。這個並沒有錯，因爲在某種意義上講，神具有仙的屬性，仙同時也體現了神的存在狀態，所以神仙可以連講。」

道長被請去吃飯了。

時間非常寶貴的各位，請允許我這個不吃飯了的「仙」，胡思亂想一小陣：

我先擅自放任思維，無端揣摩神仙世界到底是一個怎麼樣的世界？就是高維度的空間嗎？還是一種生命的進化形式？進而思維軟軟著陸：生命的智慧一定是不僅僅以我們人的方式存在的。

我想起我看過一本書。這個世界上每天都有很多的科學家在做各種各樣的實驗，其中有日本的科學家做過水的試驗。他們利用現代的科學方法，用放大五百倍的高速攝影頻率拍攝水在種種狀態下的形狀。

孤陋寡聞的我由此看見了水的分子結晶：基本上都是漂亮的六角形。我聯想到我們古老的《河圖》中所說，「天一生水，地六成之」，這「地六」與五百倍的高速攝影拍出來的水分子結晶圖形，是不是有一點關係？如果承認這點關係，算不算也是類似道長說的「中國古人和天地相溝通，已經知道生命一些實相的東西」？也許我是胡思亂想……腦子就是用來想的嘛，亂想有利於探索未知……

那些科學家用不同的文字寫上相同祝福的話，貼在裝水的瓶子上，於是再拍出來的水分子圖，都是非常的漂亮美麗，無論是用哪一種語言；轉而用惡毒的文字，拍出來的水分子圖形也都變得醜陋了，無論是用哪一種文字；再然後，不用文字了，僅僅用人的意念祝福水，拍出來的水分子也是一樣的美麗。我放縱思維之後的著落點與科學家的實驗目的是一致的：水有智慧？水能夠接受人的意念？水能夠看懂人類不同的文字？

So，水也是生命？這樣的生命怎麼看待呢？

道長說過，「這個世界絕對不是我們看見的這樣……」

思維繼續飄曳——

還是日本的科學家。他們拍攝到冰即將融化，但是還沒有變成爲水的一張照片。奇妙的照片啊，水分子的凝結形狀完全是中文「水」的字形。看到那張照片，我頓時變成了一隻呆鵝樣：魔術嗎？巧合嗎？科學家爲嘩眾取寵拿自己的名譽開玩笑？不可能的……那中文的「水」字是怎麼來的呢？這之間幾千年的差距在印證什麼？我們有「水」字的時候，肯定不可能知道冰將化作為水時的分子圖形。

思維翩躚：我們的中文字，包含有多少深奧、玄妙，至今解一點、大多還不解的東西？我相信道長說的，科學的發展會揭示我們中國人祖先更多的智慧。我相信道長說的，上古的人們和天地相溝通，已經知道生命一些實相的東西……

一個多小時後道長回來，我囉唆了一遍藍天白雲下的思維運動，道長補充：

「……還有更多都是我們現在的科學所無法證實的，比如我常常說的我們先人的飲水咒，比如你們現在開始體驗了的辟穀，這些都需要時間。這些有的現代科學能夠作出解釋，而大多的現在還是不能夠。你說到我們的文字，中國在軒轅黃帝以前是巫文化時代，巫字上面一橫代表天，下面一橫代表地，中間一豎溝通天地，左邊和右邊各是一個人。我們中國的漢字是充滿資訊的，在他們那個時代，他們溝通的到底是一個什麼空間？」

無話不說：「那眞有可能是神仙的世界……」

道長：「在遠古中國有我們神仙的世界，而且早就被修行的人發現了，他們發現的世界並不是我們所感覺到的這個世界。這個也有待於科學的發展來證實給我們今天的人看。」

生的偉大像當初不眠夜一般伸手在空中做撫摸狀：「那個世界的神靈會不會被我嚇著？他們的空間突然多出了這個什麼東西？」他手指頭亂扭動……

無話不說：「你還是低級思維，你以為你是神仙、他們是三維空間嗎？完全擰個了……」

大家笑……

道長：「我們感覺到的世界是個『有』的世界，但是這個『有』的世界並不可靠，我們通常感覺到的並不是這個世界的實相。就像我們做夢的時候，會夢到以後發生的事情。我們在修煉中也知道有很多的生命存在狀態，我們無形中可以達到生命潛能的開發——事實上，這些超凡的能力在我們每個人身上都有，像武松打虎，李廣射石，那一瞬間我們產生的爆發力在平常時候是不可想像的。還有創作的時候意喻神會所寫出來的東西，還有像門捷列夫發現的化學元素週期表，他是在做夢中產生出來的，這些我們叫靈感。但這些『靈』到底來自什麼地方？

「我們古時候，上古中的人，他們的生活非常簡單，於是他們保存了更多生命中的『靈性』，他們溝通天地，發現了宇宙的實相其實並不是我們現在所看到的那個樣子。現在我們認爲，我們的整個生命體就像一張單程車票一樣，從起點到終點就沒有一個回頭，是不是？」

無話不說：「是，這還沒人敢承認？所以怕死嘛……」

道長：「這種認識已經越來越靠不住了。生命不是單一的，它只是相對中的個體對象化。靈魂也不是臆想的。在中國的很多修行中，透過修行的覺知，能夠對靈體的世界進行溝通和對應。現在的科學正在試圖進入、了解這個神祕地帶，但是對於我們古老的中國文化而言，這個並不神祕，達到這種溝通也不難。在辟穀期間就可能會有那種狀態，在平時修行的過程中也是能夠超越我們自身的存在狀況、能夠溝通很多資訊的。透過修煉，我們認識到實際存在的一個現象：在我們生存的空間有更多生命的狀態。用現代科學的語言來說：有更多的生命狀態是以波和波群的方式存在這個空間。」

生的偉大：「那這些波生命，不是和我們的手機波、電視波打得一塌糊塗了嘛，頻頻發生交通事故……」

道長：「我們現在能夠感知得到的生命狀態，是實物粒子的狀態，以實體的方式存在，是占有空間的，在我們的空間有他們的位置。但是還有別的方式，以資訊方式存在著的生命狀態，他們是充滿這個空間的。宇宙的各種磁場、各種波，都在這個空間裡面，包括所有的宇宙的元神資訊，天地裡面的資訊，只要有的收都能接收到。他們充滿空間，但是又不占有空間，這是它們生命的形式。他們的速度非常快，在人類的世界裡面最高速才是光速，因爲我們是以實物粒子的方式存在，他們是以波的方式存在……」

我忍不住：「道長，你是怎麼知道的？只是經過修煉嗎？」

2

離了水的魚兒

下午一點半，我世俗的、薄弱的、從來沒有脫離過規則的小身體，像魚兒跳離了水面，開始猛烈地「蹦躂」，反抗……

但是胖子卻什麼事兒也沒有！他回房間練功睡覺去了。

道長：「一個是古人的記錄。另外，有的時候我們是能夠溝通的，比方說夢境。有些夢我們不明白是什麼意思；有的夢是家裡去世的人給我們托夢。這個在以往大部分時候都被理解爲迷信，是因爲我們的科學還沒有發達到能夠理解、解釋這種現象。夢是靈體和我們之間的關聯，古人的修行者透過實際的修行，產生關聯。」

私話：我想起我的一個朋友幾年前和我說的一件奇怪事。他有天晚上做夢，夢見去世的父親說他很冷，屋子漏了，讓他修補和送些衣服去。我的朋友醒來很難過，也很愧疚，覺得因爲自己總是忙這忙那，很久沒有去給父親上墳了。他以爲是思念造就了這樣的夢。第二天他就去了父親的墓地上墳，驚異地發現他父親的墳朝北方向破了一個洞，風隨時都呼呼地往裡面吹灌。這個現象與他夢境裡面父親說「冷，屋子漏了」一下子就吻合了。他修補了墳，又買了紙錢、紙衣紙褲燒給他的父親。他驚詫這些很迷信的事情怎麼就和眞的一樣？

我和道長說。

道長：「很多人確實一直在做著很多他自己也不是很明白的事情。比如說清明節上墳、燒紙錢，難道這僅僅是寄託一種哀思嗎？是一種祭奠的方式？不僅僅是。這種從久遠的古時傳下來的生者對於死者懷念的方式，雖然已經有了很多的改變，但是有一個意思是不變的：祭奠。這裡隱含了一個很重要的意思：因爲他在。」

我：「假想的吧，是願望一類的……」

道長：「即便是假想，怎麼不假想其他呢？既然身體都沒有了，更應該認爲不在啊？我們還是因爲我們看不到，而習慣性地否認存在，但是在我們心裡深處，我們確實都相信，他在。是習慣讓我們否認了這種相信。除了夢境，還有很多被人們慣常以『迷信』置之的事情，也證明著『他在』……」

私話二：……算了，過程太複雜而神奇了，很像在渲染迷信，說來又是招罵的事兒……但是可以歸納一下：聽說過民間用筷子的「站立」與亡靈之間溝通的嗎？我一個朋友的家鄉，包括他自己家裡，都用這樣的方式與亡靈溝通，依照他們的「經驗」，亡靈一直在。可能和道長說的「資訊一直在」是相同的。

道長：「既然『在』的話，又是哪種形式的存在呢？」

一人：「也可能是一種巧遇吧，僅僅透過一個夢，不能夠說明靈魂的確實存在。更不能說因爲我們清明節祭奠了，就證明他們的『在』。」

道長：「遲早會證明的。全世界的人都關心靈魂的存在問題，都一直在進行對我們這個世界認知的討論。我們還不知道世界有多大，我們對生命的認知是很不完美的，對生命的能力和潛能力認識是不夠的。我們不能因爲自己不知道，就否認這些東西的存在，因爲以科學的觀點來說，這種態度也是不科學的。假如我們現在沒有電視機、沒有手機的使用，我們也會不承認波的存在，但是它們的存在是自古以來就有的，不是因爲手機和電視機的出現才被發明出來。」

我反覆思忖著，還是說了：「道長，我有一個朋友。他們家、他們整個地區，都保持著一種很奇特的與去世家人聯絡的方式。我這個朋友的外婆在老家去世以後沒多久，家裡要辦一個喜慶的事，在喪期還沒有完全過去的時候，就開始不顧亡者地喜洋洋熱鬧開了，而且至關重要的是，這個喜慶的事情與亡者是有直接牴觸關係的。就在那個喜慶的事情定下日期之後，參與策劃的家人莫名其妙地突然一個個病了，都有猛瀉肚子的現象，一個一個去醫院打點滴。這樣過了幾天，他們醒悟到也許是去世的外婆不高興，就依照家傳的做法取來一碗水，家人恭敬地圍坐在這碗水的四周。問話的人手攢一把筷子，問說是不是因爲這個事情不高興，如果是，就讓筷子站住。先問了其他的事情，筷子自然是像我們知道的，不可能在一碗水裡面站住；當問到近幾日喜慶的慶典時，手一鬆，筷子居然不可思議地全部都站在了水碗裡面。於是他們就開始解釋，燒紙，調節這個亡靈不樂意的事情。之後瀉肚的人才好了。另一次他們又開始生病，沒有什麼理由，他們就想到可能是好久沒有去給太爺上墳了，同樣取了碗盛了水，問話的人攥了一把筷子，問是誰、在念想什麼事情？問到是不是太爺，筷子站住了；接著問事兒，問到上墳，筷子再次站住了……這些我們從小都認爲是很迷信、但是又很不可思議的事情，很多地方的鄉俗都保持著，老人們都是很認眞地在做這些事情……」

（太迷信了太迷信了，斷然是要挨罵了……）

道長：「這是一種溝通，會得到證明的。我們需要發掘我們生命溝通的能力，這種溝通能力在淳樸的民間有很多。我們透過修行的方式也能感受到。」

我：「很多人不相信也是有理由的吧？」

道長：「『不相信』是因爲我們既失去了民間淳樸的溝通能力，又不願意花費功夫修行。道家的修行是一個很特殊的體系，在這個文化單元裡面，我們重視實證實修，重視和宇宙天地的資訊溝通，透過我們道家修行的方式去感知這個實相的宇宙。一個多種生命存在狀態並存的宇宙……」

＊ ＊ ＊

這樣說著話，我感覺像平常吃飽了飯一樣，相當正常，也沒有了噁心。我問道長：「我中午的時候噁心得難受，現在沒事了，算不算度過了一個難關？」

道長沉吟：「應該說還沒有開始。現在你正在慢慢地適應。」

道長說對了。下午一點半，我世俗的、薄弱的、從來沒有脫離過規則的小身體，像魚兒跳離了水面，開始猛烈地「蹦躂」，反抗……

但是胖子卻什麼事兒也沒有！他回房間練功睡覺去了。

我從來生病都沒有這麼難受過。無力，頭暈，冷顫，發慌，越來越嚴重，越來越不能忍受。我平時最害怕的兩種症狀——低血糖和暈車，現在加在一起出現了。我感覺我正像冰一般在消融，從一個固體要消融到彷彿消失……

所有的人們都回房間了，他們練睡功（午休），然後要等待下午兩點的練功。

我仰面躺在草地上，與藍天對望。我難受得……這一天怎麼過得這麼慢呢？爲什麼老是在中午、天不黑、明天久久不來呢？

我掏出手機看時間，卻無意看到了有兩小格畏畏縮縮閃動的手機訊號……這個地面的小角度居然有手機訊號，我幾乎沒有思考就撥通了不眠夜的電話——他是前車之鑑，他是先驗之明，他是我們的白老鼠……

我只說出了兩個字：「難受……」

不眠夜用半夜撞著了鬼的語氣：「啊？不會吧？哥們兒從頭到尾也都沒有難受過啊？你怎麼會……怎麼會這樣？」

我：「……」忘了當時怎麼說了，反正大意是我不行就算了，我不辟穀了，本來沒事的，反而沒事找事，沒病找病了（無意中我說對了一個很重要的概念。後敘）……

不眠夜：「別介，哥們兒前車之鑑，不是什麼事都沒有嗎，而且……（列數好處）多好的機會啊，你們現在還有一大堆的人，哥們兒當時就一個，還天天下雨，說話的人都沒有，都堅持過來了（借機炫耀自己的意志），真的不會有事……」

我支吾……

不眠夜：「我實話和你說，我當時什麼反應都沒有，哥們兒那個無奈，那個著急，哪怕我也難受一下呢，有點兒什麼反應呢，這說明哥們兒確實有問題，身體毒太深，辟穀十多天了都發不出來……到大概第十五、六天吧，說來奇妙，哥們兒居然解大手了，把我高興得……後來到了都第二十天了，後背才有些反應，發出一個小豆豆，但是第二天辟穀就結束了，那也讓哥們兒高興夠嗆，好歹有些反應了……你多好了，才第一天就反應這麼大，在我看，大好的事情，太好了……」

他眞的是「提升」了。但是他絲毫都不能夠鼓勵我什麼，眞的是如俗語，他站著說話不腰疼——但是這個比喻也相當不對。我無力再說什麼，按掉了不眠夜在滾滾紅塵裡面的聲音。

兩點半了。我聽見練功房裡的音樂嬝嬝，但是我起不來。我的症狀如浪頭，越來越大、越來越嚴重……

三點。我聽見練完功的人們說話的聲音。我略微疑惑了一下：這麼遠，我戶外，他們室內，我都能夠聽到？

我覺得我要完了，不是我活不下去了，是我不能夠繼續辟穀了，太難受了，不可能這樣下去了，什麼探索，什麼好奇……真是自找苦吃，紅塵生活閃電一般嘩啦啦劃過我此刻的蒼白與無奈。我想念紅塵生活，照常，我現在應該在看書，或者在弄什麼片子，或者和朋友在咖啡館閒聊，或者自己看影片喝咖啡，也許會在書店，九月啊，這麼好的季節……紅塵的閃回只是瞬間的、令我嚮往的片段，然後瞬間消失，閃回也是需要能量的，而我連起身都做不到，眨一下眼睛都需要下個決心……太慘烈了！意志不能夠控制身體了，哪怕能夠昏厥也行，睡著也行……這麼著十五天，我最後會是難受死的……

頭腦卻是瘋狂地清醒。嚇人地清醒。

3
退堂鼓

我堅持要求結束辟穀，大不了名聲掃地，讓生的偉大之類嘲諷一番，幸災樂禍一番，證明「還是科學……」一番……

道長笑：「不行的。你現在的身體正在積極地工作，這是辟穀要達到的目的。所有你平時做的、對身體不利的事情，都要調整恢復過來……」

我在辟穀的第一天，就出現了我完全沒有料想到的狼狽狀況。不是一天不吃飯的原因。從前因爲忙碌、因爲什麼原因而一天不吃飯的情況也是有的；之後這幾年每週一天「淨腹」不吃任何東西，都從來沒有過辟穀時候的那種難以忍受的感覺。後來我知道了，是因爲辟穀開了「天門」，眞氣對自身的薄弱環節發起了攻擊。我這麼快就出現了狀況是可喜可賀的一件事，但是當時……

辟穀之前我曾經問過道長，我從小都有低血糖症狀，一餐飯晚點吃都可能會麻煩，辟穀不吃了，會不會……還有我有很大的咖啡癮，若在平時，一天不喝咖啡會有非常可怕的事情發生——頭劇疼，辟穀的時候能夠喝點咖啡嗎？或者能夠不喝咖啡也不難受嗎？如果不會低血糖，也可以喝點咖啡或者不喝也沒事不會難受，那我幾乎沒有什麼可以擔憂的。

道長當時笑嘻嘻說：「辟穀的時候連一片茶葉都是不能夠喝的……你透過辟穀的修爲，這些症狀都會消失……」

＊　＊　＊

我躺在草地上被各種以往生活的片段衝擊得思維斷斷續續，只有「難受」堅忍不拔，持之以巨（巨大疼痛）……今天過得太漫長了，我悲憫，怎麼這麼慢呢？每一分鐘都像是一天，只是天色永遠不變，好像這一天又一天的都沒有黑夜……我爲什麼要辟穀呢？否則現在，北京的游泳池……想起游泳池溫潤的水波劃過皮膚，也引得一陣的噁心……而更多北京的生活像銀幕上的畫面一幕一幕熱情而蒼白地迎面而來……以往……工作……交往的朋友……不同的地方……相伴的人……吃東西……繁忙的街道……亂七八糟，什麼都有。它們錯亂地出現，沒有時間的秩序，也沒有情感色彩，沒有邏輯的關聯，把幾年的事情都顛三倒四地連在了一起，不可控制地在大腦重播。

只有一個念頭堅決得像十分稱職的間諜，堅持尾隨貫穿始終：結束辟穀結束辟穀！

還是做一個正常人吧！平時低血糖還可以吃東西，現在比平時症狀強烈百倍，還伴隨有暈車般的噁心……噁心得頭都疼了。

大概將近三點，他們練完功了，有路過的白衣女子看見我躺在草地上慘不忍睹的樣子，急匆匆請來了道長。

道長依舊笑嘻嘻的，說沒事。我顫顫巍巍表示，「有事！還是大事了……」

記得我完全絕望地問道長：「道長，是不是我昨天的開頂失敗了？天門還關著？」

道長笑：「不會，你沒有什麼特別的不好。」

我絕望地堅持：「道長，你能夠看看我的天門嗎？它眞的打開了？我覺得我吸收不到雨露精華，又沒得進食，完全沒有能量了才這樣的……」

道長伸手觸摸我頭頂的天門：「很好啊，你一點都不用擔心……」

我語無倫次：我是不是要死了？怎麼以前的人和事都來了呢？

道長笑：「怎麼都想這個了……你不會死的，你的狀況很好。你的身體正在清理……」

我像個小瀋陽，無非比他早了三年半說那句著名的台詞，也比他更眞誠，更迫切：「爲什麼……」

道長：「……」

我要求結束辟穀。

道長笑：「那不行，已經打通中脈了，結束是很可惜的。所有的症狀都很正常，無非比任何人都來得快，不用擔心。」

我堅持要求結束辟穀，大不了名聲掃地，讓生的偉大之類嘲諷一番，幸災樂禍一番，證明「還是科學……」一番……

道長笑：「不行的。你現在的身體正在積極地工作，這是辟穀要達到的目的。所有你平時做的、對身體不利的事情，都要調整恢復過來……」

所有我平時做的、對身體不利的事情……我頭暈目眩，虛弱無比，內心充滿疑問，也說不出話來了……

道長讓我練功。不可能，我根本連站都站不起來，我的脖子都不可能支撐得住腦袋，我的身體失去了全部的力量。

道長讓我依舊躺著，我閉上眼睛深深呼吸、進入功態……

我居然迷迷糊糊似乎睡著了，也許十幾分鐘，也許一分鐘……我才知道原來即便是睡覺，也是需要能量的，人會有匱乏到連睡著的力量都沒有……（我猜測！）

睜開眼睛看見道長「打坐」在我身邊。他看著我：「好些沒有？」

那些難以忍受的症狀似退潮一般，不知何時隱退而去，消失得彷彿是我的一個幻覺。我只是乏力，再沒有其他。

我說：「好多了……」

道長：「你剛才有點腦供血不足……」

我迷茫：「怎麼腦供血不足呢？是那種比低血糖症狀還難受百倍的難受……」

道長：「也有，還有咖啡因的難受，但是更多的是腦供血不足……」

我以爲道長忘了我七月份關於辟穀的詢問，我咖啡癮的問題……

道長：「在辟穀期間，是身體整體的調整和推進，身體所有潛伏的症狀，或者曾經有過的，都會表現出來，它要使你的身體向好的地方轉化，轉化的過程就是調整的過程。剛才的實質是你體內的眞氣在攻你的頭部。」

我依然無力地躺著。但是，可能是與剛才若干個小時劇烈難受的強烈對比，此刻的無力居然有一種舒服的感覺。（後來知道是道長的功力幫助了我，我得到了他支持給我的能量。這樣類似的幫助，一直斷斷續續貫穿到目前，他們叫「補氣」——我從來不看武俠小說，但是，我經歷的，眞的比武俠還要武俠……）

我：「是嗎？我體內的眞氣？我都這樣了還有眞氣？它們進攻我的頭部，我怎麼不知道？」

道長：「你身體裡面的很多事情和變化是你不知道的（引申：我們身體裡面的很多事情和變化，都是我們不知道的，因爲不知道，沒有翻譯和溝通，所以產生的誤解足可能導致致命），大多數人都不知道。現在的辟穀，是你平時凡是不舒服的、難受的地方，都是你體內眞氣進攻的部位，都是你原來有的病症。除了你的低血糖，你肯定平時經常會頭疼。」

我確實平時經常頭疼。太熱的時候，太冷的時候，情緒激動的時候，不高興的時候，睡眠不好的時候，焦慮的時候……我身邊常年備有止痛藥……我小有寒戰（沒有想到）。

道長：「我幫你檢查的時候，發現你的心臟也不是很好，所以你現在的症狀過去之後，緊接著應該是心臟的反應，可能也會比較激烈……」

我七歲的時候心臟受過外傷，之後每年的春天、秋天，季節轉換的時候，心臟都會非常的難受，每分鐘的跳速可以達到一一〇以上……看來我要有些心理準備了……

道長：「到時你也不用緊張，這都是完全正常的反應。你注意這些身體的反應，肯定都是你曾經有過疾病的部位。以往的疾病越厲害，反應會越強烈。我們的修煉，或者說我們的治療，和平時醫院的治療是完全不一樣的，醫院是在病症發作之後的治療，我們則是治療隱患，不給發病的機會。你現在的難受對你的幫助會非常大，你以後就會知道。」

我：「道長，像我這樣難受會有多久呢？不會十五天都是這樣吧？」

道長微笑：「會不會一直這樣是因人而異，看病症存在的深淺程度。它會一直被你自己的眞氣攻擊，直到你的這個病治好。以後你會覺得，曾經有過的神經衰弱啊，頭痛啊，低血糖啊，心臟問題啊，失眠啊等等，就不會再發生了。」

自第一次辟穀之後，四年以來的生命歷程證明了：道長說的是眞的。我的心臟過速、頭疼、失眠、低血糖……種種不良，基本上已經逐漸消失到我自己都忘了的程度！

但是當時我還是以爲是道長對於我的一種安慰，屬於心理暗示（略知一點心理學，倒是在彼時印證了知識越多越反動……呵呵）

道長：「疾病的調理在辟穀期間是一個整體排毒的過程。中國道教的辟穀功本身是師門祕不外傳的一套增強功力的方法，它不是治病的，治病只是它的附帶產品。辟穀功增強功力的同時，使得我們在辟穀的過程中眞氣非常旺盛，所以是我們修煉人爲使功力精進的時候用的一套功法。在眞氣旺盛的情況下就會出現一個氣通百經——就是氣通經絡，會自然去衝擊各種經絡。當哪個經絡不通暢，就會特別衝擊這條經絡，於是呢，原來在你身體裡面經絡暢通的，就不會有任何的反應；而凡是你身體中有不良症狀的，都是經絡不通暢，那麼在眞氣很旺盛的時候，在衝擊經絡的過程中，就會衝擊這些狀態，實現我們『痛則不通，通則不痛』的過程。」

我不解：「爲什麼不眠夜不難受呢？他的問題比我還大啊……」

道長笑：「你問出了他的心病！他辟穀的整個過程都在爲這個擔心：他沒有任何不舒服的、不良的症狀，除了想吃——但絕不是餓。今天辟穀第一天你就問我：怎樣能夠不難受？不眠夜在整個辟穀的過程中，反覆糾纏我的是：道長，我怎樣才能夠出現一點症狀？甚至讓我發功，迫使他能夠出現症狀……」

我能夠想像不眠夜那個樣兒……他辟穀的時候天天爬山，就是因爲他沒有什麼不良、不舒服的特別症狀，在辟穀即將結束前兩、三天的時候還發給我簡訊，說「哥們兒今天走了五公里山路，一直走到山下的道觀去了……」，後來據說是被用車接回來的，他自己解釋是「迷路了，不是走不動了……」

道長：「一直沒有症狀，未必是好，說明他體內的眞氣攻擊不動他的病症，身體的毒很深。不眠夜在剛剛有一點症狀的時候，他的就辟穀結束了，二十一天到了……」

我兩個小時前剛剛和不眠夜通過電話，他臨近第二十一天的症狀是，背上終於發出了一粒小包……呵呵，相比之下，我的成績也太大了點，大得我都……不勝榮譽了……

我一旦得點精力，就生出顧念他人的閒情來：「那不眠夜是不是白辟穀了？」

道長：「不會啊，這個二十一天對他非常重要，無非還沒有達到最佳的效果。所以我建議他半年之後再辟穀二十一天，那樣，他就會接近身體的健康完美……」

我：「還是接近吶？」

道長笑：「是啊，他把自己的身體糟蹋得太厲害了……」

4
身體的「系統檢查」

我想了想中午以來在體內擴展的難受，確實像系統的整體檢查一樣，壯闊如工程一般的浩大和規整，將我衝擊得幾乎「主機癱瘓」。而我能夠感覺到的難受，又確實都是我平時就有問題的那種難受，無非難受的程度被幾十倍、上百倍地擴大了。

我一直以為我是很健康的，我游泳，我不熬夜、不抽菸，無任何不良生活習慣，我至多是多喝了些咖啡，但是咖啡也有些好處啊，能夠加強我的心臟功能。但是現在……依照道長說，道家修煉的方式是身體整體的調整和推進，身體所有潛伏的病症，或者曾經有過的不良症狀，都會表現出來，要使你的身體向好的地方轉化，轉化的過程就是調整的過程。

那我到底是健康人，還是未來病的隱患患者呢？

道長：「現代人的生活方式，完全不注重身體的保養，忽視了身體的重要，使得我們的身體即使是『好的』，也是亞健康狀態。大多數人的經絡都有不通暢，到極致的時候就是大病爆發的時候。人體有上百個穴位，也有幾百個骨節，還有我們的內臟和臟腑，在平時我們能夠感覺到有點什麼不舒服的，都是已經問題爆發了，不會是這樣一個巨大的系統。但是現在，辟穀就像是系統檢查，凡是你曾經得過病的地方，現在都會有反應。你自己回憶一下，你現在的不舒服，是不是都有不舒服的曾經？過幾天還會有更多的不舒服，辟穀的系統檢查過程是由表及裡……」

我想了想中午以來在體內擴展的難受，確實像系統的整體檢查一樣，壯闊如工程一般的浩大和規整，將我衝擊得幾乎「主機癱瘓」。而我能夠感覺到的難受，又確實都是我平時就有問題的那種難受，無非難受的程度被幾十倍、上百倍地擴大了。

怎麼會這麼奇怪？我們的身體自己還有這樣的本事？

我：「這個身體的系統檢修，也是道嗎？」

道長：「生命的起源都要追溯到對於道的認同。道和宇宙生命是同體的，它就是宇宙生命的本來面目，是宇宙生命的本源。我們忘本逐末地去細分，就像一陣清風刮過來的時候，偶然因緣的聚合。風刮起了無數的浪花，有的小浪花看到了大浪花會說，『你眞偉大啊，而我多麼渺小。』但是浪花的大小並不是眞實的現象，只是一個偶然因緣聚合的產生，實際上一陣風過，因緣的力量過了，大浪花小浪花都歸於平靜的時候，它們都是幸運的大海，彼此之間你中有我，我中有你，平平靜靜，都是在這個宇宙浩瀚無邊的整體當中。」

我暈頭轉向完全不知道長所云：「道長，你說的是什麼啊？還是你在比喻什麼呢？」

道長：「我說的是我們宇宙的本源，種種都是因爲因緣聚合產生的各種各樣的現象。」

陸陸續續的，大家見道長在這裡，都走了過來。每當道長在哪兒出現，尤其是道長開始說點什麼，周圍立刻就會聚起一圈的人。

無話不說接話：「就是說，我們來這裡都是緣分，我們都是因爲因緣的聚合產生的各種各樣的現象，辟穀是辟穀的緣分，治病是治病的緣分，我是我的緣分，但是呢，都應該感覺到相同的幸福，因爲我們都是大道中的浪花，不同的是我們無非是道因緣產生的不同現象。就是說整體來說都是好的，無非從個體來講，只有我是那個壞分子。但是沒有我，也顯現不出你們的偉大了，是不是這樣，道長？」

我被無話不說的言論弄得更暈了……

生的偉大笑：「道長，那你就堅持不要給他辟穀，因爲他是一朵小浪花，不能夠都是大浪花的，怎麼可以所有的緣分都是一模一樣的呢？」

無話不說氣得：「&＊#@￥！你連浪花都不是呢，你還是那個——」他向空中抓了一把：「什麼都不是的水蒸氣！」

道長笑：「我們講道，還從來沒有這樣活潑的形式……我講的是，因緣是道的一個表現形式。什麼意思呢？就是道，是還沒有被我們所認識到的一種實相。你不是問我，像辟穀，像生病，是不是也是道嗎？」

我點頭。我的腦袋瓜子，因爲系統檢查，已經不能夠將我聽到的東西自動連結，產生聯想……

道長：「因緣是我們所感知到的一種實相，道的本質，就是說你和我，和宇宙，無疑的這是一個整體。」

我攤牌：「道長，我完全聽不懂，是不是因爲檢修頭腦，我的思維已經不正常了？」

道長笑：「而透過辟穀，好像在層層的過程中找到一個眞相。在找到這個眞相的過程中，道本身自己也在證明著自己，依照我們修道的術語，叫『道在證道』。」

無話不說喃喃自語：「那我生病也是『道在證道』了……」

生的偉大笑著拍擊無話不說的肩：「你悟了！確實！你就是道在證道路上的革命先烈……」

道長笑得說不下去。

而我，居然已經像上午一樣，輕鬆而自在，沒有什麼難受的感覺了。我坐了起來：「道長，我好像好了，好像是從你坐到這裡開始好的，爲什麼呢？是心理作用嗎？」

道長：「沒有什麼心理作用，我有能量在輸入給你、補充給你，是你們看不見罷了，但是你的身體是感覺得到的。」

我確實是神清氣爽了。我辨別不了道長說的是不是眞的，但是有一點我知道，「太不舒服」與「舒服起來」了，依靠心理作用是做不到的。同樣，依靠心理作用，我的十五天是過不去的！

能量能量……我看眼前的道長，他就像……什麼呢？穩穩地坐在我面前的草地上，侃侃而談。他是怎樣將能量輸送給我的呢？

我仰望天空，九月的陽光輕盈燦爛，天空湛藍，一切都是平常得不能夠再平常的，熟悉得不能夠再熟悉的。而我，從昨晚開始，已經像一棵植物一樣，告別了人的基本生存方式，依靠陽光、天空大氣這些我們肉眼識辨不出來的普通景象裡面的能量而活了……

道長：「……道在證道有兩個方面。一個方面，宇宙從無始以來所經歷的過程，以及不斷走向無限久遠的將來，這個過程就是道在證道的過程，它自己在顯現給我們看，讓我們看到它。比方說現代科學，現代科學在我們的道之外嗎？不是，它本身就在道之內，道也在它之內，它本身的存在就是道的一個顯現，透過現代科學的出現，我們也在不斷地認識我們的世界，認識我們的宇宙，認識我們的生命。所以，道的每一次成果，皆是道對自己本身的證明。」

一人：「這個證明會不會有窮盡的一天？」

道長：「在《道德經》裡面，在幾千年以前就有的表述是，道是『寂兮寥兮獨立而不改，周行而不殆，可以爲天下母。吾不知其名，強字之曰道』。它是獨立而不改的，周行就是不斷地產生消滅，又產生消滅，而不停止，這是它的一個根本。而在這些不斷的證明過程中，它都回到它的根本。其實從我們的創生，到我們最後的發展運行，最後都要回到我們道的一個根本上去，在我們的修行中叫做『各復歸其根』。我們就是在不斷的出現過程中，不斷的回到自己的本源狀態中去。」

我：「像一年四季的循環？像人的一生從出生到死亡的循環？」

道長：「這個循環不是單純的，而是盤旋上升的，比如今年，到了夏天天氣依然會熱，但是我們就是回到了去年的、以往的夏天了嗎？當然不是，所以我們的點是在不斷地繞回來，繞來之後就是在原來的點上，只不過是在另外一個層面上了。」

一人：「是另外一個層面好，還是一樣都好？或者還不如原來的好？」

道長：「好、壞之分是我們個體對它的一個印記。是非、好壞、對錯、善惡，在道的面前是沒有意義的，就像春夏秋冬沒有好壞之分一樣，還有白天、晚上，或者下雨、天晴，有什麼好壞之分呢？你可以喜歡下雨，也可以認爲天晴好，這只是你個人的一種喜好。我們都已經習慣了依照個人的狀態和需要來區分，我們就賦予了現象一種不同的意義。但是實際上任何執著都是一種畸形，如果老是下雨而不天晴，老是白天而不天黑，或者反過來，這都是一種畸形，都是……」

一人：「其實，道長，我昨天就想問了，我理解你的修行是你的修道，但我們不是修道的人，我們習慣了與生俱來就受到的『科學觀點』的影響和教育，而且你剛才也說科學的發展也是『道在證道』的一個過程，那你爲什麼要幫他們辟穀呢？就像我們喜歡下雨或者天晴一樣？由他好了……」

道長：「好，我先回答你的第一個問題。我們的修行包含弘道，我們希望能有更多人能夠認識生命的實相，能夠擺脫每個人遲早將要面臨到的痛苦。從你們的角度來講，我們當今的時代，我們的社會，在這個剛剛開始的二十一世紀，我們面臨的世紀主題是：不斷提升生命的品質，提高生活的品質。重視生命的品質已經是全人類的話題和關注。」

一人：「道長，他鑽牛角尖，先讓他學雷鋒，再讓他學道、弘道……我們就是需要了解生命的實相，希望能夠了解生命的實相，我特別想知道的是，好的生命品質應該是怎麼樣的？」

道長：「那是一種圓滿的幸福。現在人們普遍地認爲生活能夠豐衣足食，像目前的現實有房有車出入自由隨性可能，就是很好。不是這樣的，這很片面，很狹小，如果認爲這算是一種幸福的話，是很低層次的幸福，是一種物慾狀況下的生活狀態。」

人：「但是這確實爲很多人帶來踏實和幸福感啊……」

道長：「是的，你說得很好，但是眞的有人在享受這種幸福嗎？這種幸福感能夠持續多久呢？能夠和人的慾望成正比嗎？」

人：「是幻象嗎？」

道長：「我在說的已經是有關幸福的不同方面。『圓滿』不是可以用物質的豐富與否來界定的。就說你說的這種因爲有車有房『爲很多人帶來踏實和幸福感』的幸福，第一，這種幸福不可靠，因爲沒有什麼事情會是一成不變的，宇宙的規律就是無常的變化。變化是根本，運動是宇宙中最根本的屬性。這個變化的根本始終是我們生活、生命的主導，剛剛還沉浸在幸福之中，轉眼煩惱就來了。第二，本來當下的每一時刻都是無量因緣和諧而成的，不僅都是幸福，而且是無量壽福！

但是人們大都不善於享受幸福，而更喜歡追求幸福。要知道幸福和快樂像地平線一樣，是永遠也追求不到的。能夠安時而處順，則無處不是幸福。幸福是流動的，既不能被留住，也不能被追求，只能被享受。所以大眾眼前感受到的『幸福』，實際上是極其短暫的，因爲他們的心思不在這，而是在未來，在關注更大的或者說是還沒有得到的幸福。所以說人們不幸福的根本原因在於——不是沒有幸福，而是沒有人在享受幸福，人們都是在忙著處心積慮地去實現追求幸福的夢想。放著實實在在當下一刻接著一刻的無量壽福不享，而是始終處於追求再追求的虛無縹緲的夢想之中。這是完全的顛倒啊！總是在擁有時不知道珍貴，失去之後方覺可惜。該睡覺時不是失眠就是廢寢，該吃飯時不是忘食就是食不甘味。可惜啊，這是相當可惜的……」

沉默。很清楚的道理，卻是無數人心裡一道看不透的屏障，每個人都在內心匆匆地放棄著現實，忙著「追求」，而忽略了哪怕是一杯水裡面所隱藏的幸福因素。而我，在「辟穀」的修煉狀態中，可能將最貼切地體會到道長所說的這種「幸福」理解，因爲自從不那麼難受開始，我已經在腦子裡緩慢而堅決地盤旋著一些吃的東西。而在平時，我從來沒有在「吃東西」這個問題上，享受過諸如「幸福」的這般理解……

5

享受幸福

要「享受」，不要「追求」！享受是靈性的、美妙的；追求是醜陋的、愚蠢的！享受生活，享受工作，享受親情，享受成功與失敗，享受生老病死、喜怒哀樂、悲歡離合！享受當下緣起的一切！任何事情在當下的享受之中都將成為幸福和快樂！

大家不說話，一定都是在琢磨著道長「幸福」的質樸道理，像我彼時逐漸升騰起來的對於食物的追憶性懺悔一樣，有多少其實我們早就應該享受到的幸福、卻因爲是伸手可及而被忽略爲非幸福類？

道長進入了更加撲朔迷離的闡述：

「……第三，很多人是看不見，或者不認爲，或者是因此而感受不到自己生活中每時每刻的幸福，因爲很多人早就不再認爲普遍存在人們生活中的，是『幸福狀態』了……」

無話不說：「那如果生活之中——我比較絕對的表述，哈——確實沒有什麼幸福可言，只有煩惱，或者是像我現在生病，我怎麼感受幸福？還是這樣的話，幸福就確實與我這樣的人無關了？還是我應該認爲就算生病，也是一種幸福？」

道長：「哎，你雖然是這麼極端地在表述，但是你最後一點還眞是說對了：生病是一種緣分，一種表象，幸福很多時候是會裝扮、會化妝的，它使你脫離了眞正的不幸福……這個太迂迴了，很容易被誤解，我們以後慢慢說……」

無話不說：「好，我說我的第二點疑惑。既然幸福無處不在，那人的追求很低，很容易滿足啊，就是天天粗茶淡飯的，就已經幸福無比了，生個病，也是接近幸福的緣分，這個不對吧？這樣的話，我們這個社會物質的快速發展，應該是對幸福的錦上添花，那很多人都應該幸福得暈頭轉向了，但是依我看，很多人更像是痛苦得暈頭轉向……」

道長：「你無意中說對了這個問題，就是另一方面，人們以爲物質狀態的達到和滿足即是所謂的幸福，那這個『幸福狀態』是非常低層次的，與我剛才說的『幸福從來都在，但是沒有人在享受幸福，人們都忙著處心積慮地去實現追求幸福的夢想』是兩回事。很多人早就不再滿足於物質層面上的獲得了，因爲依照這個標準，一般稍有一點經濟能力的人應該就會覺得幸福，並且有滿足感，而事實上是從來沒有人因爲這個層面的滿足而感到『幸福滿足』。能夠滿足這個條件的人在世界上已經越來越多，而我們遇到的煩惱和痛苦，絕對不會因爲這種滿足而減少或降低。煩惱和痛苦與這些不相干，我們會發現痛苦還是有許多，像你剛才說的『很多人更像是痛苦得暈頭轉向』。比如無法找到自我，也無法正視社會和我們個體之間的激烈衝突，當我們能夠在自己的精神世界徜徉的時候，覺得這個物慾的世界與我們的內心是如此的格格不入……」

生的偉大：「都格格不入到病了，以此抗拒這個物慾的世界……」

無話不說：「正確！完全是一種抗爭。我是受害者，從精神的，到食物的，到空氣的，到觀點的……我內心相當純正，但這個世界非常險惡，比我病得還厲害，我沒轍，以毒攻毒，因病抗爭……這是一種純自然的表現……」

笑。

一人：「你還有理了……」

生的偉大：「聽起來很有理……」

胖子：「我也疑惑，爲什麼這個物慾的世界與我們的內心是如此的格格不入？有時候我們能夠感覺到，有時候我們也感覺不到……這個世界不正是我們人類自己創造出來的嗎？」

道長：「是因為我們尋找幸福的方向錯了。人們總是用外在的名利去滿足自己，那是永遠也無法實現的。因為人的內在也是一個巨大的虛空，與外在這個虛空同樣的大，任何有形有象的東西與這個虛空相比，都趨於零，都可以被忽略不計。什麼東西都填不滿，只有內在的光明才能充滿這個虛空。所以說英雄雖然能夠征服世界，卻不能征服自己，英雄始終都在追求的煩惱痛苦之中……」

無話不說自言自語：「是個英雄還不錯了，還落得個光榮的稱號……還有那混得狗屁不是的，也煩惱痛苦得沒法兒活了。那是被煩惱和痛苦追著……」

道長：「……而聖人，絕對不會去征服世界，但卻征服了自己。『天行健君子自強不息』，說的就是戰勝自己的過程，古人早就指明道路了，用『眞我』內在的光明照亮『我』內在虛空的過程。所以聖人永遠是滿足的，只有滿足的人才能眞正享受到幸福和快樂……」

我跌落在道長語言的漩渦之中，正一點點盤旋，爬升……

胖子：「對於道的認識和修行，是不是為了擺脫日常生活中的煩惱、物慾，以及個人與社會的格格不入造成的心理陰影呢？」

道長：「你問了一個核心問題。就像剛才我說的，任何一種對外的寄予和希望都是錯誤的。人最大的幸福——來自認識自我，走向自我，在內心找到眞正內在自我的美滿幸福。由我們的內在依靠自我，用眞我的光明充滿『我』的內在，從而產生出的一種幸福，這才是眞正的幸福。人諸多的煩惱是來自恐懼。為什麼恐懼？無法把握，不知道，才會產生恐懼。而如果我們依靠自己的修行，找到可以依靠的內在自我，有了對生命眞正的認識，對自我的認識，我們還會恐懼嗎？還會毀壞性地向外拓展慾望和物質嗎？而內在的眞我一旦找到的話，外面的世界根本就不會干擾到我們。像古人說的『達則通濟天下，窮則獨善其身』，『貧賤不移，富貴不淫』，這些都是我們每一個中國人耳熟能詳的太富有眞理性的語言，就是不以外在的變化影響自己，貧賤如此，富貴也如此，他永遠能夠在自己的快樂裡面。像孔子讚美自己的學生：『賢哉回也！一簞食，一瓢飲，在陋巷，人不堪其憂，回也不改其樂。賢哉回也！』所以說，要『享受』，不要『追求』！享受是靈性的、美妙的；追求是醜陋的、愚蠢的！享受生活，享受工作，享受親情，享受成功與失敗，享受生老病死、喜怒哀樂、悲歡離合！享受當下緣起的一切！任何事情在當下的享受之中都將成爲幸福和快樂！」

大家再一次陷入沉默。好久的沉默……

胖子：「道長，你修行了這麼多年，找到自己生命中的快樂了嗎？」

道長：「你說的『快樂』，很籠統。一個眞正修道的人肯定都能夠找到自我。找到自我之後，透過不斷的修正，使得這個找到的『自我』能夠更加完善、完美。」

無話不說：「但是，我們畢竟不是生活在眞空裡面……」

道長：「是的，我們因此太多留意外在的東西了，比如說留意別人對我們的看法，留意他們會怎麼評價我們，留意自身以外那些所謂的財富、權勢，而往往忘了這些東西其實是和我們的幸福沒有關係的。我的幸福，並不是以擁有多少外在的東西來決定。」

生的偉大：「是不是有對現實的失意，才更加需要這種態度和認識？」

道長：「不是。這種態度並不是消極的認識，而是積極的。懂得這種思維方式的人，會積極地去生活，在每一天、每一刻、每一時，即使在他感到痛苦的時候，他也會找到美，在各種事件、各種環境、各種境遇、各種人與事當中，他都會感受到：一種美以自己的方式存在我們面前，感受到因緣的聚合。」

人：「在困難的境地也能感覺到完美？」

道長：「是的。不同境況，看到的東西是不一樣的。《莊子》裡寫到有一個人，又聾又啞又駝，鬍子掉在地下，頭不能夠抬起來正眼看人，他每天還是高興得不得了。他覺得自己這種狀態是他每天都能體會到的一種很獨特的方式，因爲別人都不能夠從這個角度去生活、去看待，他覺得這是很難得的。」

我：「也許這種境界是很難得、很高妙的，但是怎麼區分一個正常的人和一個精神分裂的人呢？很多患有精神病的人也是自得其樂，沉浸在自己的世界裡，看起來很快樂，不在意吃什麼，住在哪裡，穿破臭的衣服……」

道長笑：「那怎麼會是一樣的呢？最本質的不同是彼此對生命的把握狀態，和對生命的認知。我們經常說偉人和瘋子是一步之隔，他們都活在自己的世界裡。一個眞正修道的人，我們應該用這樣一個狀態來描述他：第一，他對這個世界、對生命，有最本質、最透澈的認識；第二，他和宇宙中一切的存在和諧相處。因爲道是最自然的東西，道是自然的表現，道與自然是和諧的。一個修道的人首先表現的是和這個世界徹底的和諧，我們能感受到這個人身上呈現出來的三十六樣好，七十二般美，是如此的完美與和諧，整個人洋溢出來的是一種和世界各種關係的和諧，而不是一個精神有問題的人與這個世界的衝突和頂撞。」

人：「與整個世界的和諧是怎樣的？」

道長：「一個眞正悟道的人，不應該有是非、對錯、你我之別，也就是說，你和他、萬事萬物、所有東西，和我都是沒有分別的。如果說不能從本質上認識到生命的本體，就是剛才說的不能夠把握到整個的大海，不能站在大海的整體層面上，那麼只在浪花的角度上就一定有大小，你這浪花很大、我的浪花很小，你這兒的水很白、我這兒的水很黑，你的浪很高、我的浪太低……這些都只是個體的差異。沒有看到人與人本質上是一致的，是你中有我，我中有你，因爲因緣聚合而產生出來的個體差異。一個眞正對生命有認識的人一定會知道，眾生皆是我，我就是眾生。所以在眾生有痛苦的時候，他就會產生一種同體大悲。」

我：「這不又產生新的苦惱了嗎？」

道長：「不會。一個眞正悟道的人，他從來不對應。我們爲什麼會把自己和別人區別開來呢？因爲我們以爲『我』的這個概念和『你』是有區別的，你看，我是男的、你是女的，我是重慶人、你是浙江人，再具體點，我的身高和體重與你的身高和體重，整個都不一樣，是不是？你是你，我是我，甚至我還以爲我就是我的，以爲這幾十公斤的身體就是我的，我們會得出這許多的幻象出來。以爲這些東西是我的，就是一個幻象。實際上，對自我有了眞正的認識之後才會發現，拋開這些東西，它們都不是我，所有這些都是我們生命的錯認，是我們太過貪欲而把自己當成自己了。就像看同樣一個東西，從不同的角度就有不同的狀態，同樣一件事情，一千個人看就有一千種不同的說法。爲什麼會出現這樣的狀況呢？皆是我們把自我的這些印記，和一個客觀事物發生了對應，然後我們始終在比較，始終在分辨。比方說遇到一件事情，我們會始終分辨這件事對我有益還是有害？我們始終在選擇對自己有益的東西，而逃避對我們有害的東西，這樣就造成了我們對各種事情的各種態度，對各種人的各種處理方法，於是就產生了喜、怒、哀、愁、對立、憤怒……一連串的情緒。你的情緒不由你操縱了。比如我告訴一個人，他中了六合彩，或者瞬間有十億資產可以繼承，那這個人的情緒肯定馬上變了，如果正在生病，可能病就一下子就好多了、甚至完全好了；如果告訴一個人，他的十億財產已經被一場意外的大火燒掉了，那他也馬上變了，可能沒有病的突然就生病了。一個得意的人正在台上激情洋溢地發言，你悄悄告訴他家裡發生了盜竊，他的錢財存摺統統沒有了，他的情緒會立刻一落千丈。我們大部分的人都是不由自主地被情緒、被外界的種種變故所控制。但是一個找到了自己的人不會這樣，他不會因爲外界的變化而影響自身，他認爲自身的幸福是我自己的，不會用外在的有或無，外在的人或事對他怎麼樣，而產生出一種對應的情緒。大部分人的情緒是被外在的事物操縱了，所以修煉的目的，是我們要透過修煉首先認識自己，認識到自己與宇宙的同源。認識到這點，我們就不會再對立，我們會認識到宇宙的一切。」

無話不說：「不明白。不對立懂了，做不做得到另外再說；但是因爲不對立，就能認識到宇宙的一切？」

道長：「能夠在我們身上發生都是和我們有關聯的，都是因爲因緣而和我們產生了聯繫，這是一個宇宙的規律。於是我們知道要善待每一個人，要善待每一天，就像善待自己一樣，這樣人不會消極，也不會消沉，不會自我封閉，我們會認眞地處理好每一件事情。」

我：「控制自己的情緒，多難啊。」

道長：「不是控制，是明白。比方說生氣，人人都有不被理解的時候，但是清醒理智地去面對一個人、一件事，和眞正的憤怒不是同一回事。眞正的憤怒是人被情緒捆死了，你已經無法駕馭情緒了，你已經被情緒所牽引，人已經放棄了自主的能力，被刺激的時候，你會瘋狂地去罵他、攻擊他，這個時候你的心已經被魔鬼占據了。一個明白的人會朝自己的目標邁進，但是他知道，他的成與不成，不是人爲所能決定的，在朝著道的方向走的時候有一個必經過程。我們只需要善待每一個人、每一件事，然後朝著自己的目標認眞去做就行了，成不成不是你所能決定的。」

無話不說：「怎樣叫做『善待』呢？」

6
最高級的「醫生」

道長：「絕對不用擔心，辟穀期間的醫生是我們從來都不敢去奢望的一個醫生，太高級了！」

我大腦供血不足地傻乎乎抬起頭張望：「誰啊？」

道長：「就是我們自己。是我們自身，我們的自然在幫我們調節。你們太不認識、太不了解自己了……」

道長：「道文化所說的善，有上善、眞善、善，賦予它不同的境界，有幾個理解。一個是世俗上善和惡的關係，也就是從你自己的角度出發所認爲的所謂的善；一個是達到一種眞善的境地，像我們的《常清靜經》所說的『上德不德』這個意思。善待是我們本身的一種眞善，叫『上善』，『德善』，不是世俗所說的善，這個善不是指從『我』的角度所說的善不善，而是說因緣之善，萬緣皆善，也就是說在我們面前所發生的一切，都是善、都是好，這就是我們常說的『整體意識』、『良性意識』。有了這個整體的和良性的意識，我們才能眞切地感覺到，一切事物的發生都是對自己好，我們就會處於一種最自然、最和諧的狀態。當我們把這種體會到的和諧融入社會中時，我們對社會的對待、對自我的對待，都是一種自然和諧的方式，這就是善待。」

生的偉大再次拍拍無話不說的肩：「給你辟穀，萬般好；不給你辟穀，同樣是萬般好，這就是和諧，是善待。道長，我活學活用，沒有錯吧？」

無話不說：「別總是說我，依照道長的意思，你就是我！你以爲怎麼著，你也得病，不過是我幫你病著！（笑著對我們）他最糊塗了，他還老以爲他最清醒！比較幸運的是我在幫他生病，我善待他，這也是一種整體意識，是不是，道長？」

道長笑：「原來你們都是這麼在理解……」

生的偉大笑：「我們這個『仙友班』，其實是妖精班，都是來進修的妖精……」

笑……

胖子：「他們太不正經了……道長，你說『透澈、準確地看待自己的生命而不要被一切外象所干擾』，我們應該看到的生命是什麼呢？」

道長：「無差別啊……」

生的偉大：「怎麼無差別呢？難道眞的是他在幫我生病？」

道長笑：「生命的實相告訴我們，差別實際是因緣構成的，是一個暫時的假象，是運動的過程中出現的一些偶爾現象。那我們怎麼解釋因緣？」

無話不說：「對，我正想問，爲什麼他冷言冷語，而我在幫他生病……」

大家笑……

道長：「因緣就是各種各樣的因果，由緣分來組合。」

生的偉大：「你作孽了！可能我上輩子是幫你滅火的，所以我們總算還是有點緣分，導致我們這一世的因果現象，哈哈……」

道長：「……我們每一個人在這一世都會做很多的事情，這些事情都有它產生的原因，也會同時產生很多的結果。這些原因導致這些結果，有的在我們有生的年代就產生出來、檢驗出來了，有的是在我們下世的輪迴過程中又顯現出來。這些因果不斷地聚合，就會產生無數的一個因果的網，這個因果的網就決定了我們要去做哪些事情。」

人：「所以發生的事情都有發生的理由？沒有什麼幸運和倒楣之說了？」

道長：「事實上是這樣的，我們的人生，這個世界，從來沒有偶然，一切都是因和果的關係……洞察了這個關係，我們再去爲一些事情生氣就沒有道理了。並不是什麼事情做對了或者做錯了，這一連串的過程，很多都是冥冥之中的安排，都是我們自己種下的因。西方人喜歡說『是命運的安排』，而這些各種各樣的安排是由因果造成的，就是因緣。」

一人：「因緣的製造者，還是我們自己？」

道長：「是，因緣眞正的安排者，實際上還是我們自己，因爲是我們最早做了這些事情，才會產生這些果。我們這一世要做多少各種各樣的事情？說多少話？這些都是因果啊！一定是有因就會有果，你怎麼待人，人也怎麼待你，就這麼普通和尋常，但是其中的道理卻被我們忽視了。在種種的現象背後，因緣是一張網，都是因和果的原因，織就的是命運。」

一人：「那我們這一世努力也沒有用了？」

道長：「不是。首先，你能不能夠努力，這可能不是你『想』就能夠變成的。很多人很聰明，也有很多的決心，但他就是不去做……其次，你努力了，也成了新的『因』，必將導致新的果……」

生的偉大：「還有一種情況，你這輩子努力已經來不及了……（哈哈笑）或者努力也是白努力！我常常告誡馬雲（阿里巴巴集團、淘寶網創始人），你不用這麼辛苦的，你的成績從相貌上就看出來了，你上輩子已經相當努力了，以致你這輩子還沒有受苦就已經這麼瘦。成功是必然的，何必還要做出這麼累的樣子……」

＊＊＊

這個下午我還是過得比較正常、舒服，與中午已經判若兩人。太陽掛西的時候，道長有事，要去山下的紹龍觀。離開前他提醒我應該多運動，打打球什麼的，或者去爬山，一定要認眞練功，不用害怕，一切都是正常和完美的。

我沒敢打球。我感覺自己像一節蓄電池，掂量著身體裡面的能量，能不能夠堅持到道長回來。黃昏的時候在胖子的力薦之下，還是和若干人上了白雲觀後山上的小道。他們轉眼不見了，我，只能說是散了散步。

回到小院，生的偉大抱著兩箱礦泉水進來。我想起我們原先的約定，爲了提防觀裡的水有營養液（呵呵，現在想來是多麼可笑的想法），證實辟穀的眞實性，唯一能夠入口的水，由生的偉大來買。

生的偉大：「我這是去北碚買來的水，都不敢在山下買水，萬一都有聯合呢？」

胖子呵呵笑：「你們這些小人之心……」

生的偉大：「這個礦泉水肯定沒有問題了，但是如果你們餓死的話，與我無關啊！」

我笑，但是頃刻之間，頭疼如山風一般襲來……

* * *

晚飯前，道長回來了，聽說我又頭疼，到房間看望。

我只開一盞檯燈。我慶幸是在夜裡來了頭疼，如果是在白日，燦爛的光線將使我無處躲擋……

道長還是笑嘻嘻，問怎樣的疼法？

我說，像平時沒有喝咖啡時的那種頭痛，只是劇烈百倍。

我有近十五年的咖啡歷史。那眞是親切而噴香的十五年歷史！我離不開咖啡，完全不是因爲咖啡好喝，咖啡很香，但是遠沒有我現在喝茶的感覺「好喝」，十五年之久的喝咖啡，是因爲喝過咖啡以後心情會很愉快！但是，愉快之後心情又會失落……如果不喝咖啡，就像現在這樣會頭疼。所以，十五年了……

道長：「你長期依靠咖啡的維繫，像有人睡不著覺要依靠安眠藥。習慣了這些依靠的人一旦離開咖啡、安眠藥，會很不適應。你現在的辟穀正是在幫你擺脫這些藥物對你的控制。」

我無奈而顯得不講道理：「其實，不擺脫也無所謂……咖啡又不是毒品，對心臟功能的加強還有好處，還讓我心情不沮喪，帶給我安寧和愉快，思維的流暢。以後不喝咖啡了，我會變得遲鈍吧？影響我的思維、我的情緒……」

道長：「不會。咖啡的好處是暫時和表面的，一個人被任何的事物、藥物性的食品、藥物控制住了，都不是什麼好事。擺脫這些，便是擺脫控制。能夠自主是多好的靈活和智慧啊！經過辟穀，你的思維只會更加清晰、更加流暢。辟穀是找到我們自己，擺脫所有對我們的控制，包括情緒。」

我迷迷糊糊，頭疼又再度引起噁心：「可能擺脫嗎？控制我們的東西不是有很多嗎？食物——現在沒有了，還有水、潔癖、音樂、手機、愛情、情愛、感情、功名……」

道長：「找到我們自己，就是找到我們與這個世界的關係。擺脫了這些控制，我們的心才能夠更加明淨，對我們的自身、對人生，才能看得更加透澈，更加本質。」

我：「太難受了……」

道長：「你現在正是在改變的過程中，身體會有一個反應，不舒服是正常的。這些東西如果常年積累在你的身體裡，也是非常不好的隱患。」

我想起不眠夜。他有極大的菸癮，在辟穀之後就不抽菸了。當時我問他戒菸難受嗎？他一臉燦爛：沒有感覺。

但是我……

胖子：「道長，我來了以後，高血壓藥就一直沒吃，剛才我量血壓很高，低壓一一〇，高壓一五〇，比吃藥的時候高多了……」

道長：「辟穀期間什麼藥物都不要吃，要對自己有信心。」

我內心突然有一種悲壯的感覺。我們好大的膽子……

道長：「就是我剛才說的，你同樣也是一個調節的過程。絕對不用擔心，辟穀期間的醫生是我們從來都不敢去奢望的一個醫生，太高級了！」

我大腦供血不足地傻乎乎抬起頭張望：「誰啊？」

道長和胖子同時笑起來。

道長：「就是我們自己。是我們自身，我們的自然在幫我們調節。你們太不認識、太不了解自己了……」

7

脫胎換骨

道長：「呵呵，你慢慢體驗吧，首先你在生理的狀態上會有很大的改變。辟穀會使你們變為一個超越平凡的人。因為從最簡單的角度理解，平凡的人是不可能達到這個狀態的。你們正在超越平凡，走向生命的新起點。」

一直伴隨我們、擔負關鍵時刻「救援使命」的生的偉大，看似比胖子還擔心：「眞的不會有危險嗎，道長？西醫要求高血壓藥一旦服用是不能夠停止的，萬一……」

道長：「就沒有萬一。四千多年以來，有多少修煉之人以不同的狀態來驗證過這套功法？它是已經被我們無數的先人、哲人和修道之人驗證過的。就危險而言，沒有危險——你們自己不可以嘗試，這是一套非常安全的修行方式。對你們個體來說，在辟穀期間出現的種種狀況，也許會覺得害怕，不可思議；對我來說，在辟穀期間出現任何狀況都是非常正常的。每個人都會有自己的不同狀態。身體難受的目的是要把自己的身體調整到最好的狀態，經過這個過程調整到那個狀態中去，在調整的過程中，身體就會打破原有平衡，出現各種瞬間混亂，就像我們要把一個混亂的組織變成一個非常有條理的組織，一定會有暫時的痛苦和混亂，這種混亂有時甚至會比原來的那種狀態還要混亂……」

生的偉大：「我是擔心……」

道長：「不用擔心的，因爲雖然原先也混亂，但是身體自己已經達到了那種混亂的平衡了，儘管是一種病態的平衡；而我們在調節的時候，把這些東西全部都拆散了，就像你們現在，這種混亂就非常難受和明顯了。」

我：「像我辟穀這麼難受的人多嗎？」

道長：「每個人的情況是不一樣的，有很多人什麼反應也沒有，尤其是經過修煉自己辟穀的，那是一個自然而然的過程，更加沒有什麼反應了。今天你才第一天就這麼難受，說明你身體的狀況還是比較好的，身體的毒素不深刻，所以一下子就能夠發出來。等辟穀結束，你整個人將獲得新生，以後的那個你，就不會是現在的這個你了。」

我：「包括思維方式嗎？」

道長：「呵呵，你慢慢體驗吧，首先你在生理的狀態上會有很大的改變。辟穀會使你們變爲一個超越平凡的人。因爲從最簡單的角度理解，平凡的人是不可能達到這個狀態的。你們正在超越平凡，走向生命的新起點。」

我內心亮堂堂的，像滿屋子的燈都照亮了，頭也不那麼疼了。誰聽到自己有可能這樣改變還會黯淡得像一個病人呢？我不是生病，我這是在修煉啊……

我：「超越平凡，走向生命的新起點，那是不是就是……脫胎換骨的意思了？」

道長呵呵笑：「你們很快就會有體會。但是你想，如果沒有事實，這些辭彙又是怎麼來的呢？」

四周很安靜。也許是因爲聽到「生命正在發生轉變」這樣幾乎不可思議的話，有些微醺般的沉醉。彷彿房間裡的整個氛圍都發生了變化，一切都變得有了光暈。幾個月以後我越來越清楚地知道，道長說過的話，從來都沒有糊弄過我們，他可以是輕描淡寫地說，但是，事實一直是在與他的表述沒有違背地發生……

胖子問道長：「道長，辟穀期間可以去重慶嗎？」

道長：「我跟著你可以去。就是說你們的體力允許都可以去，但是我們不可以分開太遠……」

胖子笑：「我們不會偷吃東西的……」

道長：「不是指這個——我相信你們會珍惜經歷和成果——而是因爲我要保證你們辟穀的功

效。在整個辟穀的期間，我用道家的功法維繫了你們身體的新陳代謝，維繫了能量的平衡，促進你們的身體開啓了人的另外一套隱性系統，就是陰性系統。」

生的偉大坐了下來：「道長，可不可以給我這個沒有辟穀的人也講講陰性系統？是我們每個人都有的吧？」

道長：「我們大部分人不知道我們生命體有陽性系統和陰性系統兩套系統，這是與生俱來的，人人都有，但是人們基本上都不知道。陽性系統就是顯在系統，我們能夠明確知道它的功能，包括我們的循環系統、神經系統、消化系統等等；陰性系統中我們常常使用的有自我免疫系統、潛意識、潛在功能等等。我們用這些現代語言來描述它，其實是對它的不完整描述。陰性系統實際上是一個能量的系統，存在我們生命裡面。我們透過一種功啓動了它——它一直存在我們人體裡面，只是需要靠這套功來喚醒它。道家的這套功就像一把鑰匙，打開了它，而且訓練了它，使它發揮了出來。」

胖子：「這把鑰匙就是辟穀功吧？」

道長：「對。其中我們的作用，是爲了增強你們從來沒有啓動過的這套系統的能量，把我們平時修煉的能量也灌注到你們體內，加強你們。」

胖子略有質疑：「是嗎？我沒有什麼感覺……」

我：「我有感覺，道長每次一出現，和我近距離了，我就慢慢不難受了。」

道長笑：「從昨天開始每天都有……」

生的偉大很認眞地：「假如我能夠看到，是不是從道長的頭頂冒出一股氣，然後畫出一個弧度，分成幾股，準確地分別注入他們的頭頂穴位裡？」

我笑……那像噴泉……

道長：「這套系統彙集能量的方式是這樣的，它利用你自己練的功，向外採集能量，也由你們自己向內在修煉，有我們從外界給你們的灌輸，是三者的結合。而我的能量源泉，一部分是我自己多年練功練出來的，也有一部分是採氣從外面採來的。」

我：「不是噴泉？」

道長笑：「人的思維方式是很單調的。我每天定時輸入給你們，你們留意的話就能夠感覺到，精力突然強盛起來，不虛弱了。有時候也意識不到，像吸氧氣，是一個漸進的過程，不會突然覺得有明顯的差異。」

我想起傍晚我是一節蓄電池的感覺：「道長，你輸入給我們的能量，我們是當場就用掉了，還是可以儲存起來？」

道長：「給你們的這些能量都會儲存在你們的經絡——三焦經裡面，為你們的身體做保障。你們呢，透過每天練的功，把它消化掉。」

我：「所以你要每天和我們在一起？」

道長：「這是為了達到最佳效果。如果我不在你們身邊，憑你們採集的能量，練的功，也可以，但是絕對不會達到辟穀的最佳效果。而如果我們相距太大距離，那就不安全了。」

有人敲門進來，又焦慮、又很不好意思的表情：「哦，道長，總算找到你了！我剛才打了好幾個噴嚏，好像要感冒了……我感冒起來會非常麻煩，我又沒有帶感冒藥，剛才向你們這裡的人要，他們說……而且這裡也沒有藥，我想我可不可以用這裡的車下山去買一點？」

道長笑：「你打了幾個噴嚏就這麼緊張嗎？」

噴嚏人：「嗯，每次都是這樣的先兆，然後就麻煩了，關鍵是還非常難受……現在吃藥效果最好，若眞的感冒，吃藥就沒用了！」

道長對我們：「你們也是一樣吧？平時對自己沒有信心、對西藥的依賴已經到了這樣普遍的地步？」

生的偉大笑：「道長，你可能修煉得銅牆鐵壁，已經不會感冒了，我們都怕感冒，那個時候鼻子首先不是自己的，然後嗓子也會變得不是自己的，然後……反正，那是相～當的難受。要是我，莫名其妙打三個噴嚏以上，也是要趕快吃藥的。你打了幾個噴嚏？……」

噴嚏人笑：「大概有七、八個了……」用手使勁壓住鼻子，好像又要打噴嚏……

道長平緩地輕嘆一口氣：「你們太不信任、也太不了解你們的身體了，打個噴嚏就像要感冒？感冒是什麼意思？打噴嚏又是爲了什麼？」

噴嚏人：「打噴嚏不是要感冒的意思嗎？」

道長：「你們啊，對自己的身體既不了解，又不負責……你不要壓住噴嚏，有就打出來……」

噴嚏人：「怕傳染給你們……」

道長像聽見一件特別有趣的事情，呵呵笑起來……

8

一個噴嚏引發的思考

道長：「很多人都誤解打噴嚏是個壞事情，一打噴嚏就趕緊吃藥，大錯特錯了！打噴嚏實際上是大好的事情，我們身體有一個自我穩定系統，一旦受到細菌攻擊，或者身體受寒了，都會馬上以打噴嚏的方式去處理。還有像瀉肚子也是好事情……」

兩個月前，道長曾經講到人自身免疫力的問題，講到過假使幾個人同時在山頂上吹風，結果各不相同，有的病了，有的只是打幾個噴嚏，有的則完全沒事。道長也講到SARS時的病例，同一個人群或者在同一個家庭，有的就會被傳染，有的一點事都沒有。

道長：「你們根本不了解感冒、打噴嚏到底是怎麼一回事……哪裡是你打噴嚏，我們就會接收到，就和你一起感冒了？」

生的偉大：「我們從來都是這麼接收的，道長，相～當準確，可以說準確得嚇人……」

噴嚏人笑，手背更是頂緊了可憐的鼻孔，鼻子委屈地歪扭著、紅了……

道長：「醫生認爲人會感冒是受到了細菌的感染，這是源於近現代以來顯微鏡和化學分子式的被發現，人們把醫療水準推到了從細菌的研究來達到治療效果的水準，於是透過西醫吃藥、打針的治療方法來抵抗和消滅這種細菌，達到把病治好的效果。」

生的偉大：「難道不是嗎？我們小時候還吃驅蟲藥，肚子裡的蛔蟲也是這麼被藥打出來的！」

道長笑：「但是你們從來不回過頭來想，一個人感冒了不是『因』，而是一個結果……」

生的偉大：「我們是把感冒當作結果的，所以直接打擊結果……」

道長：「不是的，我們說的不一樣，我說的是導致結果的『因』更重要。是什麼原因導致了這個結果？爲什麼你們是同時到縉雲山來的，他感冒了，你卻沒有感冒？」

生的偉大笑：「他是攜病菌一起上山的，而我只是自己上山了……」

道長：「那即便是在山下，爲什麼細菌攻擊的是他，而不是你呢？」

生的偉大：「細菌喜歡他，不喜歡我，呵呵……但是道長，難道我這樣考慮了，我對於不吃藥這個問題就能夠想得通了嗎？」

道長：「而我們順著這些問題更應該問的是：到底是生命體損傷後才受到細菌攻擊，還是受到細菌攻擊後，生命體才損傷？西醫現在到達的水準就是發現了病毒並且試圖把這個病毒消滅，就達到他們的目的了。但是這麼多人爲什麼只有這幾個人會得病？這是關鍵，西醫的思維還沒有到這樣的程度。」

噴嚏人：「我倒沒想這麼多，但是我也不喜歡西醫的判斷、治療方式。醫生不管你是誰，是一個什麼樣的人，凡是病了，都劃入一類，比如感冒，比如牙疼，比如胃病，他們都是一樣的批量式治療……感冒了就那幾種藥，打針，發燒不退就打點滴。醫生基本上不爲你判斷了，所以我打噴嚏就趕緊自己吃藥，免得到時候難受得受不了到醫院被統一安排……」

道長：「像你們，還有很多人，都誤解打噴嚏是個壞事情，一打噴嚏就趕緊吃藥，大錯特錯了！打噴嚏實際上是大好的事情，我們身體有一個自我穩定系統，一旦受到細菌攻擊，或者身體受寒了，都會馬上以打噴嚏的方式去處理。還有像瀉肚子也是好事情，同樣也被很多人誤解，老是用什麼藥去阻止它，那就幫倒忙了。你們嘗試過沒有？即便不吃阻止腹瀉的藥，我們的腹瀉也會停下來。當我們的病菌有效地被排除了之後，腹瀉自己就會停下來，那時候我們的身體會更好……」

噴嚏人：「發燒也一樣？不吃藥阻止的話，熱度會越來越高……」

道長搖頭，再次重複：「你們太不了解、不信任我們的身體了。（小私話：這幾日有網友說我們的身體比我們的腦子及時和聰明，贊同！身體總是及時反應，大腦老是錯誤判斷。像「躲避」之類的事情，身體的反應都是快速、準確過大腦的遲鈍、分析。其實對待其他的一些事情，也是可以適當信任身體的處理方式，而不必太注重大腦經過人的「教育」之後做出的判斷處理。畢竟一個是先天的，這麼設計精密的人體，連個噴嚏、腹瀉，自己都對付不了嗎？而知識與判斷是後天的，雖然很知識，很理性判斷，但這是人自己設想出來的，人的理解力和智性的開發，仍然在認識與進化的過程之中。這還未加上商業推動的原因。）很多時候發高燒並不是一件壞事情，我們的癌細胞一般都熬不過四十度，癌細胞遇到四十度的高溫就會被殺死。癌症病人如果發了高燒又熬過來了，癌症往往會不醫而癒。而平時我們感冒發燒，對於身體體質的增強也有很大好處，透過物理降溫就可以。很多人不了解自己身體的偉大，一發燒就看病，打針吃藥地阻止它，問題反而更大。其實不吃退燒藥，我們也會好，而那個時候身體眞的會更好；我們打噴嚏是爲了把更多的病菌排出體外；我們發疹子，出現了香港腳，這些也是因爲我們的身體要排毒。大部分人不知道這些，就是因爲缺乏對自己身體的了解。而道家的思考，就是怎麼樣去把我們生命天賦的能力發掘出來，這是非常重要的，而不是完全依賴外界的東西介入我們的身體。」

生的偉大：「原則就是不要隨便用藥……但是難道藥是應該從這個星球上消失的東西嗎？」

道長：「這是觀念和認識的差異，我們是給每個身體建立個體醫學模型，建立自己的個案，以個人的狀態爲準來制定治療方案，不普遍殺菌。西醫更多的是一種程式化、程式化，像打個噴嚏什麼的就認爲是感冒了，馬上吃感冒藥，大錯特錯。我講過啊，西醫把人的身體比作戰場，把疾病當作敵人，用抗生素或者抗菌素大量地投入到我們的身體，打的結果，鬥的結果，是把我們的身體弄得元氣大傷，現代醫學中的對抗療法產生的惡果。」

噴嚏人：「那我還是不用買藥了……」

道長：「藥只是對我們身體有幫助作用，而不是絕對的作用。就像我們不能爲了吃好點就只吃調味料。我們身體有很高級、完善的自我免疫、治療系統，這個系統甚至連癌細胞都不怕，因爲我們有吞噬癌細胞的細胞。但是要讓這個系統正常工作，我們就要有充分的氧。你們都有慢性缺氧，很多剛剛到我們這兒來的人都有慢性缺氧，特別是顯得肥胖的人，所以我們有早上的呼吸訓練，能有效地幫助我們在慢性的缺氧過程中，在厭氧症的狀態中，使我們的身體充氧，使我們的氧有機地巡行到我們的身體裡面。我們的身體獲得了這些充足的養分之後，就會有效的排除毒素，吐故納新。而你們大多數的人，身體老是在囤積各種食物、菸、酒、疲勞……有很多的毒素。來這裡就是希望大家能夠更深層次地認識自己，發揮自己的潛能，發揮生命本來就有的、福有的東西。」

＊＊＊

從開啓的窗戶飄來炒菜的香味，花椒和辣椒的香味尤其衝鼻。重慶菜的香在這時具有特別的穿透力，近在眼前地向我招展生活似乎一直在躲躲藏藏的美麗與誘惑——其實一直都在，是我從來沒有關注過。但是所有的感覺都親切，所有的感覺都遙遠……隔了層什麼，比如像當時我躺著的床，完全已經不是我彼時同時在思念的生活中的那張床，溫暖、舒適，而是……挺生硬。飯菜的香味也是，美好、溫馨，卻與我沒有什麼關係。再試著打算深想一下，撩開那隔著一層的「什麼」，立刻就如下午一般的噁心了……

難以形容。怎麼說呢？一方面，身體已經面臨嶄新（開啓沒有使用過的系統了）；另一方面，身體也在懷念和不斷喚回過去。像這樣：一方面一細想人間煙火就噁心，一方面又熱烈地、不能夠自制地開始幻想如果現在能夠有一碗麵條……

我的各方面反應確實都是不同於不眠夜的快速！不眠夜在辟穀到第十五、十六天時發簡訊給我說，他開始做夢大吃酒宴，一個一個的夢，每個夢都是大吃宴席，還遭到我等的嘲笑；現在我呢，在這辟穀的第一天還帶著噁心呢，就開始迷迷糊糊地幻覺吃了一大碗麵條，還有順帶煎得油亮亮的饅頭片，排著隊穿在竹筷子上不知從哪裡伸了過來，讓我咬一口……

9

「神仙姐姐」

我這才看清了面前的白衣女子，她真年輕，也就二十多歲，眉眼微微上揚，眼神清澈，神情淡定，與道長一樣白色中式上衣，長髮盤成一個鬆鬆的結，墜墜地沉在腦後。她微笑地看著我，眼神聰明而活潑，完全不是傳統小說中描繪的、大家印象中所謂的道姑。

迷迷糊糊的，就看見煎得油亮亮的饅頭片排著隊穿在竹筷子上不知從哪裡伸了過來讓我咬一口……這是什麼？幻覺嗎？

音樂叮咚唱響。大家都去餐廳「直面」飯菜之香了……

爲準備這次辟穀，我帶來了一箱子的書、光碟和音樂。但是……一點看書、看碟或者聽音樂的心都沒有。窗外天色幽藍，雲像神仙一般絲絲裊裊地飄過。我略有憂心：今天才第一天，怎麼熬過這十五天呢？

＊＊＊

不知道迷迷糊糊了多久。窗外的天已經完全暗了，道長他們回到了房間。

我說，十五天……太漫長了，我要不三天感受一下就結束算了？

生的偉大立刻說：「贊成！其實每天都可以辟穀，在兩餐飯之間！何必這麼難受……」

我連笑的願望都沒有了。我感覺到身體裡面有一種原本很鮮活的東西正在退卻……我驚恐了。

我：「道長，我正變得不是我，這樣不行……」

道長：「你不用擔心，你一定還是你，十五天不吃東西也能夠好好地活著，我不希望你半途而廢……」

我：「我覺得我在變化，我在消退……興趣，我不知道我會變成怎樣？」

道長笑：「這對你來說不一定是壞事，以後會更好。放棄是非常可惜的，我的功白費了，你的時機白費了。而且在你任何時候想起來，這都是一個不成功的記憶。」

這最後的話觸動了我。我從來都是在爭取「成功的記憶」。

道長：「辟穀是整體排毒。在辟穀期間我們的氣要通經絡，會有諸多的反應，有的人會嘔吐，有的人是腹瀉。現在同時也在辟穀、來自香港的盧先生就是拉肚子，他辟穀十天了還有大便，這個現象說明他有初期的腸癌。在辟穀期間會出現很多症狀，你現在的症狀還沒有全部出來。一般是在第三天到第七天的時候會有一個轉換，這種轉換80％的人會出現，有人早些，有人晚些。在轉換的一瞬間，整個人的感覺會非常的軟，這一天我們正常的代謝功能就停下來了，取而代之的是一種新的狀態，我們叫做『脫胎換骨』。三天到七天之間出現這種脫胎換骨的狀態，把這轉折的一天過了呢，整個人又是一個風景了。辟穀十五天，一般要經過三個段落。你的第一個狀態來得太快，所以我建議你不要去想什麼放棄，這都是非常好的現象，所有你出現的症狀都是你曾經有過疾病的、以前受過傷的地方……」

胖子：「我明白了，今天下午練站樁的時候，我的腿剛開始還可以，後來雙膝特別的疼，都要站不住了，是因爲我的腿出過車禍受過傷！」

道長：「對，因爲你是在疏通經絡，你體內的眞氣在幫助你。只有在辟穀的狀態下我們眞氣旺盛，『氣通諸經』，哪條經絡不通就馬上反應出來了，眞氣就攻哪條經絡。」

胖子：「得過的病好了的，還會有反應嗎？」

道長：「有的病是這樣的，我們以爲好了，其實它是變成另外一種性質潛伏起來了。如果不透過辟穀的方式把這個病表現出來，我們可能一輩子都不知道，直到這個病有一天突然發作，要了我們的命。癌症就是這樣。如果給那些病人一次機會的話，他肯定是想、肯定願意能夠有機會把身上潛伏的病症統統反應出來。很多絕症一旦發現的時候已經是末期了。而在你們辟穀的時候反應出來的，也許就是痛一痛，難受幾天，也就過去了。」

胖子：「每個人的身體都有這種反應嗎？」

道長：「對。只要你出現疼痛的地方，一定是你以前出現過疾病的地方，有的也是以後會出現問題的地方。你們現在是第一次辟穀，以後第二次、第三次的時候，反應的病症肯定還會往前面靠，也就是你在幾歲時得過的病都會反應出來。辟穀三次之後，終生都消除了產生癌症的惡劣環境。」

我指著胖子：「他卻好像沒有什麼反應？不眠夜也是？」

道長：「一定都會有反應，只是反應的時間和程度不同。不眠夜辟穀的二十一天都沒有什麼特別反應，應該說不是最好的現象。但是他在十五天之後有些輕微的症狀出現，開始背疼，又腰疼，又背疼，反覆不停。但這還都是很表象的，說明不眠夜身體的毒很深，經過一次辟穀並不能夠表現、發作出來，可能要第二次辟穀才能夠往身體的深層排毒。你的反應這麼激烈，說明你身體的毒素潛伏不深。還有，你們每天都要洗澡，千萬要用冷水。」

我驚恐地縮了一下——早晨沒有這麼難受的時候還行，現在……

按照常理，身體這麼難受，又是在這山頂，九月中旬已經是早晚要穿毛衣的秋天……用冷水洗澡，不發燒也會感冒……

道長：「不用擔心，不會感冒的。這個時候的身體已經不是平常狀態。我們在冬天辟穀也是天天用冷水洗澡，都從無一例感冒的。」

胖子：「溫水可以嗎？」

道長：「不可以，因為現在我們全身的毛孔都在排毒，我們排毒的管道是高能量位走向底能量位，像水總是從高處往低處流，我們的毒素從身體往外面排，如果遇到的水比我們的身體還熱，就會把毒素往裡面逼回去了，所以要洗冷水。如果每天能夠出汗，或者用乾毛巾把全身擦一遍，直到皮膚微微的發紅，排毒又會更快一些。但是洗澡小心一定不要濕了頭，因為你們的頭現在沒有防護了，不能遇哪怕一點點水，也不能潮濕。」

道長看一眼胖子：「你今天除了腿疼，還有什麼感覺？觀察小便顏色了嗎？」

胖子：「對，小便的顏色好像很重。」

道長點頭：「對的，你們的小便顏色會變很重，還會有很重的味道，因為它是排毒的管道。你們的身體也會是這樣的。」

我驚訝：「也會發黃、發臭嗎？」

道長笑：「倒不是這樣，反正會有異味。」

道長看我：「你可以接受調理了。我們這裡是有症狀處理了，就可以了。我安排一個人來給你補氣。如果你的情況好些了，還是下樓來走一走，我們大家坐在一起聊一聊……」

幾分鐘後，進來了一個女孩，長長的頭髮盤在腦後。我見過她，中午時分見我躺在草地上去喚來了道長的，就是她。她年輕秀麗，叫常月。

常月要我放輕鬆，仰面躺好，盡可能閉上眼睛自己睡覺，她則靜靜站在我床前閉上眼睛。我也閉上了眼睛……當時忽然，就在我似睡非睡間，我感覺到一團熱呼呼的東西突然從腹部往肚子裡面鑽，像有一塊乾熱的毛巾穿過了身體，我驚嚇得坐了起來，同時可笑地伸手去抓——什麼也沒有。我看見常月半閉著眼睛，她的雙手在距離我腹部二十公分的地方，正是那團熱氣的來源……

* * *

我目瞪口呆：「剛才是什麼東西？什麼也沒有嗎？」

常月：「我在給你補氣。你躺下，靜靜長長地呼吸，能夠睡著更好。」腹部的溫熱在彌散。我睡著了。不知多久。

睜開眼睛的時候，常月正在收功。

我：「我睡了多久？」

常月：「二十多分鐘吧。」

但是我感覺像睡了一夜！渾身輕鬆，與剛才判若兩人。

我坐了起來，神清氣爽。我這才看清了面前的白衣女子，她真年輕，也就二十多歲，眉眼微微上揚，眼神清澈，神情淡定，與道長一樣白色中式上衣，長髮盤成一個鬆鬆的結，墜墜地沉在腦後。她微笑地看著我，眼神聰明而活潑，完全不是傳統小說中描繪的、大家印象中所謂的道姑。

我：「謝謝你，我……你是從小在道觀裡長大的嗎？」

我太想問了。以往記憶，偶爾見有觀裡的道姑，基本都是面有菜色，表情顯得痲木，眼神躲閃（對不起，實事求是地回憶一下。我想這不僅僅是我，也是很多人對道教陌生的原因。人會因爲一個人而喜歡一座城市，也會因爲一個人而去了知一段歷史，也會有因爲不合適、不到位的一些人，而隔閡、陌生了一個世界……），而我面前的常月，我信任她，喜歡她，像很少時候會遇到的、雖然素未謀面卻願意傾心暢談的新朋友。而我並不在紅塵，我是在……此刻我對於眼前常月的好奇，已經遠遠超越我對於自己狀況的關切。

常月看著我笑。

我：「很冒昧啊，但是我太想知道了，你是怎麼在這裡的？是從小在觀裡長大的？也不像啊……」

常月笑的樣子非常甜美純眞，換上牛仔T恤，像所有城市裡面可愛的任性女孩，一點也看不出她身懷絕技。

常月：「我不是一個人在這裡，我的妹妹也在這裡。」

我更驚訝了，不知道這是一個怎麼樣的故事。

常月：「其實很平常的，是水到渠成的事情。在我大學畢業那一年，第一次聽到道長講課，有一種忽然開朗、充滿光明的感覺，我覺得我糊裡糊塗地生活了這麼多年，眞的是什麼都不知道……」

我：「你學什麼專長的？是道教學院嗎？」

常月：「不是，我是重慶電力學校的畢業生，我妹妹是四川大學的，學的是公關與銷售。我們的學業與這些都沒有關係。」

我：「那……」我不知道該說什麼了。

常月：「我和妹妹都在城市讀大學，對我們家來說是很光榮，也是很不容易的事情。眞的如果和道沒有緣分，我們都不會出現在這裡。」

我：「你在這兒多久了？」

常月：「十年。那時我面臨畢業，即將踏入社會對我有很大壓力，生存啊、賺錢啊、謀生啊等等，我覺得人到這個世界上來好像不應該完全是因爲這些，就在這個時候聽到了道長講課。道長說的很多話都深入我的心，我自己都攔不住自己，就跟著一起到了山上。到山上之後有了更加深入一些的了解，就決定不走了。」

我：「你爸媽都理解嗎？」

常月：「我媽媽知道了就著急擔心。他們是希望我能夠在一個有名的企業，或者什麼大公司混出一些名堂來，沒想到我讀了四年大學卻做了這樣的選擇。我媽媽就派妹妹上山來找我，要她說服我把我帶回山下。但是我們都沒有想到，奉媽媽的命令上山來找我的妹妹，到了這裡，了解了我接觸到的人和事，也決定留在了山上。那時我妹妹還沒有大學畢業。」

我：「那你父母能夠接受嗎？兩姐妹都留在山上了？」

常月：「不能夠接受的，我們就沒敢細說。世俗的看法太厲害了，他們不會認爲這是人生的正途，是生命的眞理，他們是以一貫的習慣，鄰居、朋友、同事孩子的出路，來對比和看待現實生活的。我們只說在重慶工作，在公司附近有一間廟，我們會經常去接受一些我們不知道的知識。」

我：「你們從來沒有懷疑過你看到、接觸到的這一切嗎？」

常月：「從我接觸到的那天開始就沒有懷疑過。我們驚訝的是我們太不了解自己了。經過這十年的修煉，我只有更加堅定了，因爲我以前覺得萬萬不可能的事情也多少發生在我自己身上了。我是毫無保留地相信，我認爲這是另一種很前衛的科學。因爲就像道長告訴我們的，我完全可以透過自己一步一步地去求證，所以我完全是相信的。不過有時候思想起伏波動的過程也很大，因爲求證的過程太漫長了。」

我：「怎麼起伏？」

常月：「比如你爲我描述一個目標，我雖然相信，但是在朝這個目標行進的過程中，我什麼感覺也沒有，有時還不如像你們這樣從山下來的人有感覺，敏感。當然現在不是這樣了。」

我：「你說的目標是什麼目標？」

常月想了想：「比如道長最初跟我們說的氣感——就是你剛才感覺的、以爲有什麼東西進入了你的肚子——當初爲我描述的種種現象，我都沒有感覺，一片空白，都是後來經過長時間的訓練才有感覺的。當初只是相信而已。這個過程是一個很漫長的過程，所以內心的波動也是很大的。如果我沒有讀過大學，可能一切的狀況會不同，會簡單一些，從某種角度說會快一些，但是我接受了十幾年的學校教育，從小學，到高中，到大學，我們頭腦裡面固有的知識、認識，其實一直都在阻撓著我接近這些更樸實、更感性的另外一種東西。因爲我們一直以來的教育模式，我們接受的教育，都不允許自己長久陷入盲目相信的狀態。現在我已經過了這一關，那段時間實際上是一段很沒有自信的過程。現在我有自信了，雖然還有很多東西我沒有體會，但是內心深處和以前完全不同了。」

我：「自信的原因是有些已經感受到了？」

常月：「對，感受到了一部分，還有一部分正在逐漸逐漸地積累。還有我每天爲大家調理治病，大家信任我，有感覺，我也就越來越有自信了。」

我：「剛才一團熱氣衝入我的腹部，算是什麼功能？」

常月笑：「你是很敏感的，很少人有這麼明確的感覺。其實這種氣是很正常的，人人都有，是被我們後天的很多意識給掩蓋了。」

我：「並不是我昏頭了的臆想？不是我的心理作用？」

常月笑：「你哪有昏頭？是氣，也是能量的輸送。我給你的治療是喚起你自身的能力。你以爲是心理作用？有這麼明確的心理作用？」

我：「像我們這樣在說話的時候，也有能量在交流嗎？」

常月：「是的，我們說話，我們的氣場也是在互相碰撞的，並不是只有我們在給你們治病的期間才有能量交換。我們很多時候把調理、治病、練功狹隘化了……」

就在這時，我驚異地看到常月的腦袋四周，一個淡淡的光暈籠罩……我以爲產生幻覺了，用力的閉上眼睛，再睜開眼睛……

常月：「你怎麼了？」

我告訴她我看見她頭的四周有光暈。

常月笑：「恭喜你，這不是幻覺。別人通常要三、四天辟穀之後才會有這種能力。」

我驚訝：「不是我眼睛的散光啊？」

常月笑：「有這麼均勻、這樣光澤的散光嗎？」

我有點心情激動：「那還會有什麼事情出現？我能夠透視嗎？」

常月笑：「呵呵！我不知道。以前有一個來這裡辟穀的女子，她是很正常的人，在辟穀回去之後居然偶爾的一個念頭，用意念移動了茶几上的一支鉛筆。她以爲是自己的錯覺，因爲太不可思議了，就再來一次，眞的又完成了！」

我轉臉向茶几……

常月哈哈大笑：「不會這麼快的，你辟穀第一天就能夠看到人的光暈已經很奇特了。」

我再次疑問：「我近視眼，可能有散光的現象……」

常月：「萬事萬物，只要有生命，他的周圍都是有場，都有暈圈。」

我閉左眼，再閉右眼，分眼看。我的左眼看不見暈圈。

她站起身：「你還要去樓下草地嗎？他們應該都在那裡了。」

* * *

月亮升起來了。走下樓的時候，我已經沒有難受、絕望的感覺，頭也不疼不暈了。當我從樓裡走向草地，又回到了食人間煙火的狀態，輕盈，有活力。我感覺像任何以往的一個夜晚，輕鬆，飽滿，精力旺盛。

大家像昨天一樣圍坐在草地上的幾張茶几旁，茶几上依然有茶水，有水果，有牛肉乾、豆干、月餅等等食物，豐富、誘人極了。月亮快圓了，再過兩天就是中秋節。

大家很驚訝我狀態的好轉。道長說，這不奇怪，狀況還會反反覆覆，也會越來越好。

他們又在聊中醫什麼的。見我坐下，就催促道長接著說。

道長：「……只能說你們見到的中醫，只是一些以中醫名義開業的醫生，而不是眞正的中醫……」

我小聲問旁邊的人：「怎麼又說到中醫了？」

旁邊人：「無話不說質疑道長，說道長老說西醫是對抗療法，你們的是順勢療法，但是現在大部分絕症，西醫沒轍，中醫不是更加沒轍嗎？沒見過哪個中醫把癌症引導走了、順勢治好的……」

道長：「當然有，還多的是。我們文化的瑰寶，大多還是在民間。你去走訪一下，能夠治療絕症的那些人，大都是在偏僻的地方。而你們現在所看到、所了解的中醫，已經不是原來的中醫……」

10
無話不說的「選修課」

無話不說慢條斯理：「我可以說服自己對辟穀不再感興趣，我選修用耳朵看字。道長，你說話要算數。我勸大家都試試看吧，看哪個智商高點的會成為我們中的種子選手，萬一我不成功，也不表示這是無效的……」

道長：「你們知道、了解現在中醫面臨的問題有多大嗎？現在的中醫生，包括學中醫的中醫學生，大部分人不精通古文，那他們怎麼了解、學習我們祖先留下來的那些經驗和寶藏？考中醫的研究生同樣不要求通讀《黃帝內經》，有的卻要求考英文，這樣環境教育出來的，還是中醫嗎？所以你們現在看到的、普及的中醫，已經不是我們原來的中醫，可以說已經變異了。」

生的偉大笑：「中醫學生學英文是爲了教老外打通任、督二脈……」

道長：「這不是一個開玩笑的問題，中醫盲目地搞所謂的醫學現代化，丟掉了自己，變成了現在這個局面。我不知道你們去過現在的中醫院沒有，現在去中醫院看病，中醫醫生不宣導以把脈爲檢測的標準了，他給你開很多的心電圖檢查、血液檢查的單子，已經把我們原來透過望、聞、問、切來診斷和治療的方式，徹底改變了。這就是所謂的中醫現代化，盲目地把中醫的治療方式和現代西醫直接嫁接，而沒有找到眞正的中醫現代化發展之路，變成了眞正的中醫西醫化。剛才無話不說的質疑是對的，這樣的中醫怎麼可能治療我們身體遇到的大麻煩？它只能是保健，有的時候連保健都要出問題。」

胖子：「道長，你認爲的中醫現代化應該是什麼樣子？」

道長：「在我認爲，中醫現代化應該是中醫按照原來既有的體系和既有的觀念思維，以現代化的方式延續它發展的方向、思路和原來的特點。盲目地把西醫加上中醫就是現代化了嗎？不是這樣的，應該是圍繞中醫自己的醫學體系中應有的思維，再去發展……」

無話不說：「我這有點文化的人，聽著這麼複雜的句子都覺得吃力……」

道長：「這麼說吧，應該用現代化的方式去『表達』我們中醫的原理，而不是用現代化的方式去『替代』我們中醫的原理。」

無話不說：「你說的替代，我們已經清楚了，就是使用西醫的各種檢查方法來開中醫的藥方子，簡單地說就是用指標說話，這起碼是魯莽的；但是你說用現代化方式去『表達』，怎麼理解呢？」

道長：「像我，利用我們這個時代才有的電來給你們做經絡的檢查，就屬於用現代化的方式來表達我們的傳統理念，因爲我判斷所依據的，不是現代化方式提供的所謂人體資料，而依然是經絡行通與否的判斷，無非借用了電的手段，而像我這樣的方式，現在日本人也做出儀器了。還有就是已經有人在研究的『脈象儀』，也是依據完全的中醫原理來判斷人體狀況。」

無話不說面對月亮沉吟許久：「道長，這麼說來說去的已經五天了，我也應該有一點進步了，是不是？所以我反思：假使西醫眞的這麼不可靠，對人體、對生命的看待有很大破綻，是不是意味著西方的科學也有破綻、有問題？」

生的偉大：「這是你的反思嗎？我雖然才來一天半，已經聽道長反思很多次了……」

大家嘻哈笑……

道長：「問題是你認爲的科學是什麼？如果我們把西方的科學當作一種絕對的眞理來看待，那就是有問題；但是如果科學是用來證明眞理的，那就沒有問題。確實像生的偉大說的，我們說過很多次了，科學並不是眞理，科學這個體系的存在就是爲了不斷地去尋找眞理、證明眞理，而科學不是眞理本身……」

無話不說：「這個道理我懂，像生的偉大，他就不是生的偉大，他是借用生的偉大來證實生的偉大。如果他把自己當作生的偉大了，全錯！他是一朵小浪花，而我在幫他生病，他沒有整體觀還意識不到……」

大家笑：「什麼亂七八糟的……道長，你幫他辟穀算了，給他全面消一消毒……」

生的偉大：「道長，不要被他們打岔了，請繼續……」

道長：「我們現在的科學離絕對眞理的掌握還很遠，它是透過不斷的自身發展來認識、證明絕對眞理的。而我不得不再次提及的是，我們中國人所認知的『道』，代表的是圓滿的、智慧的、生命的實相、生命的本體。我們有一本書叫做《生命的本來面目》，我們講『道』，就是認識生命的本來面目，認知宇宙生命的本相。所以從這個意義上來講，我們的現代科學自己也會處處感覺到，只要這個科學是合乎規律的，就會發展，它是對於道的一種復歸……」

生的偉大忍不住捍衛他爲之付出四年光陰的信念：「這麼認爲，道長，是不是太主觀了？整個世界科學的發展都是對於我們道的回歸？」

道長：「完全就是這樣。我爲你複述兩位科學家說過的話，一位是物理諾貝爾獎的獲得者湯川秀樹，他說：『現代物理學的進步，都是對中國傳統道家思想的復歸。』還有英國劍橋大學的李·約瑟博士，名滿天下，是研究中國科學技術史的第一人，他說，中國的科學技術，包括我們的四大發明，對人類的科學，包括對西方的文明，產生了巨大的影響。他的研究，對世界產生了很大的震動。中國的科學技術——以科學技術的觀點來看，李·約瑟博士認爲其根本，就是道家文化。你們看，比我的定論下得還要堅決果斷的都不是中國人，而是當代科學的引導者，一個是劍橋大學的院士，一個是諾貝爾物理獎獲得者。爲什麼我們反而對自己的文化沒有自信呢？」

靜場。月光清明透亮，萬萬年如一日地橫掃人間……

道長：「而爲什麼反而是科學家，能夠客觀、正面地看待中國文化的成果和輝煌？而更多的人只有透過他們的言論和研究結果，才能夠略微地相信、開始相信呢？」

胖子：「即使是一個科學家得出這樣的結果，可能與我們的道文化有相當牽連，但是與我們的道教……我也覺得有點牽強……」

道長：「你們有沒有想過爲什麼他們得出了這樣的結論？而中國的道教思想，實質上又是什麼？它是一個東方的、實證的科學體系。這是用你們能夠理解的辭彙來表達。從道教的本質上來講，道教的性命雙修，不僅是一個心境上的、思維上的、智慧上的、哲學上的東西，更是中華文化的主要反映，它有大量的生命研究的實證，而且對於本草、對於礦物質的研究、對於各種技術的發明、各種宇宙生命實相的探索，都有很深的研究和結論，所以這是一個非常偉大的體系，這個體系代表了東方實證科學的特點。」

胖子點頭：「哦，這麼理解。魯迅說過，『中國根底全在道教』。」

道長：「對，從李．約瑟的觀點中，從魯迅的認識中，借鑑讀中國的史學，很多問題可以迎刃而解。中國的根底全在道教，如果你不懂得，你去讀歷史，很多地方你會讀不通，你不知道爲什麼歷史會這個樣子，這個帝王爲什麼會這麼做。」

一人：「我相信道長你說的，但是我們東方文化的智慧，是不是都凝結在曾經的四大發明之中了？對於當今人類文明的發展，還有很直接的關係嗎？因爲像你說的，連我們的中醫都依靠西醫的儀器檢測資料來判斷人體狀況了……」

道長：「不是這樣。道教對於宗教而言，是最具有科學精神的；對人類文明來說，則是充滿東方實證科學的。也可以從某種意義上來說，它代表了東方的實證科學。我們現在的科學，不管是從物理學的角度，還是從數學的角度，還是從自然科學的各個方面，生物學的角度，醫學的角度，都發現，它們不斷的發展，確實都是對中國道家思想的回應。比方說道教的易學所創立的數學模式，這個被稱爲世界萬有的寶庫。我們所建立的易學文化，是東方的數學模式，被電腦語言的奠基者萊布尼茲所用，他依據易學的文化，創立了二進位數學。他自己認爲，中國的陰陽之道，陰陽學，道家學，還有易學的研究，對他二進位數學的研究產生了突破的影響。還有像微積分等等一系列數學上的成就……」

無話不說恍然大悟狀：「我還眞的沒有把我們的易學和電腦聯繫起來過。我想過很多中國道家、佛家的思想和文化，也不停地在使用電腦，就是沒來得及產生聯想……」

生的偉大借機終於報了仇：「在你這兒胳膊就是胳膊，大腿就是大腿，就是沒有人的整體觀念！」

大家笑……

道長：「道對整個世界的影響都很大，我們現在幾乎人人都在使用、不能離開的網路，我們使用的電腦，都是二進位制對人類的貢獻，而這個二進位制就是受到道文化易學的影響而發明的。比方說物理學，我們對微觀物質中微生物的認知，從我們的飲水咒，到『上察河圖文，下序地形流，中稽於人情，參合考三才』，對天地人的和諧關係和天地萬物的生長化收藏，尤其對於『剛柔相摩』、『陰陽相推』而化生萬物，以及生命的整體進化等，在道教的書籍裡都有眞實的描述。所以當代科學學者在研究中才會發現，很多東西都是對中國道家文化的一種復歸。還有……」

＊　＊　＊

我走神了，我看見道長的雙肩，還有圍繞著頭，像彩虹一般，浮現出淡淡的金色，若隱若現，似有似無。我輕輕轉動我的頭，變換角度，判斷著是我眼花了，還是……

道長：「我和他們幾位講過，愛因斯坦的相對論揭示給我們的 $E=mc^2$，這個公式爲物質和能量提出了一個轉換條件……」

「什麼什麼？」幾位朋友沒有聽清楚，傾過身來問。

生的偉大立馬回答：「$E=mc^2$，E 代表能量，m 代表品質，c 代表光速。」

道長：「這個公式表明，愛因斯坦認爲在一定的條件下，物質和能量可以相互變化，物質可以轉變爲能量，能量也可以轉變成物質。物質與能量就是一個東西，物質和能量是等價的，能量是被釋放後的物質，物質是等待被釋放的能量。那我們看到的物質，它就是能量，無非是等待被釋放的能量；那麼我所看到的場和波呢？是已經獲得釋放的物質。波就是物質，物質就是波，獲得釋放的條件就是 $E=mc^2$。」

無話不說：「這很偉大，但是這偉大的認爲是人家愛因斯坦的啊，說到底也是人家科學的好苗種出的果實。我們現在說的是道文化，它對世界文明的進程有什麼影響……」

道長笑：「你說得好，這個偉大的理論和公式，與我們道家修煉有什麼關係？這就是我要說的。我們中國人在幾千年以前就認為，人的生命形態、存在方式是可以轉化、可以經過修煉而改變的。那就是道家的練精化氣，練氣化神，練神還虛，練虛合道，最後元神出竅。道文化在幾千年前就了解生命層面的質能轉換，而現代科學直到上個世紀初，愛因斯坦才歸納出這個質能互換定律。這和受我們的陰陽之道、陰陽學、易學文化的影響，帶給西方科學家二進位數學的研究，從而產生了突破，創立了二進位元數學，出現電腦語言，如出一轍。」

沉默。這道跨越了若干千年的文化鴻溝，在道長的語言裡，恢宏地展現在我們面前。如果可以用電影的手法來表現，此刻的畫面，古老久遠的天與地，我們的古人對於生命的理解與實踐，與若干千年之後西方的高樓大廈，飛速在電腦、電腦鍵盤上各種膚色的手指……音樂的宏大、深闊、神祕，將這兩種相隔千年的文化終於微妙地在某一個層面銜接在一起……

這個月光皎潔的夜晚……

許久。無話不說：「道長，你說的這個問題值得我回去慢慢深思。我還有問題，有很多問題。我想知道你怎麼理解人體的特異功能？比如像用耳朵聽字，怎麼解釋？看字還可以理解，聽出一個字，字又沒有聲音。」

人們思緒復活：「什麼聽字！他們把字放到耳朵裡去之前先偷看過！或者是換了一個紙團在耳朵裡，有字的那個藏在手裡偷看！」

大家笑。

一人：「這我從來不相信。我眞的問過他們，屬於小魔術。」

另一：「大人可能是魔術，小孩難道也做這樣的魔術？不會……」

另另一：「我不覺得都是魔術，任何一個東西的出現，比如說你手裡的這包Marlboro香菸，如果它好，就會出現很多仿冒的。而我們很多人不管那眞的Marlboro香菸了，只把假的收起來，說，看，這是假的，所以得出結論：Marlboro香菸是假的。是不是這樣，道長？我們聽道長說……」

道長：「確實，我們不能夠這麼籠統地看問題。任何一項技術也好，功法也好，都可以用魔術來表現，但是我們不能夠因爲看魔術把底揭開之後說這些都是假的，所以把那些也認爲是假的。這個世界不是這麼簡單和娛樂的。中國功夫裡面有一掌劈下去把鵝卵石砸碎，把磚劈斷，這個也可以做假，不是也有『揭祕』的嗎？就是在燒磚的時候分兩次燒，這個磚很容易一下子就劈開，你也能夠做到，就此來證明手掌劈磚是假的。但是能夠就這麼來說嗎？我們的眞功夫是相當厲害的，卻沒有得到應有的尊重。像劈磚這樣很簡單的功夫，眞功夫能夠做到，假的也能夠做到，透過道具的處理就可以。但是還有很多是冒假很難做到的，就沒有人去探究這些。大家很簡單地認同了，魔術的謎底，就是一切我們還不能理解、還沒有認識到的事情的眞相。眞的是這樣嗎？這樣思考問題太簡單，也太娛樂了。」

無話不說：「道長，你的意思是用耳朵聽字是眞的？」

道長：「排除有魔術不說，肯定有眞的。這是一件特別小、特別簡單的事情。」道長笑起來，「怎麼我們轉眼就退回到了一個小術的漩渦裡面……」

無話不說：「這也是一種生命的現象。凡生命的現象，無大小之分，都值得認眞對待，所以道長，你忽略我這樣的生命現象是不對的……」

大家笑，無話不說又兜回到自己的憤憤不平。

道長喝口茶：「呵呵……用耳朵聽字，其實還是在看，是用耳朵看字，無非因爲是耳朵，人們習慣用聽來描述了，就說聽出一個字了。」

人：「這怎麼可能呢？用耳朵看字？」

無話不說：「如果是眞的話，這屬於特異功能嗎？還是我們每個人經過訓練都可以做到？練精化氣之類的？」

道長：「這非常簡單，如果經過專門訓練的話，每個人都可以做到，你也能夠做到。特別是八歲以下的孩子是很容易練成的，因爲這不是一件很高級的事情。」道長笑，「我可以很負責任地說。」

無話不說面對月亮笑起來：「那還行，我就算沒有辟成穀，學門手藝回去也不錯，對紅塵也算是有個交代了……」

我的腦海裡出現胖乎乎、面露純眞的無話不說，正在陽光燦爛的北京城，給人用耳朵聽字，傳播道文化……

我呵呵笑起來……

生的偉大：「道長，無話不說這麼大的孩子還教得會嗎？」

道長很認眞：「如果他願意，完全沒有問題。這些東西，如果你們有系統地去學習道家的修煉方法，就會發現，很多東西是一法通、百法通的。要產生在你們看來很神奇的功效，那是太多了。

這個聽字，太簡單了。我們生活中，我們的社會中，最大的祕密其實沒有其他，是我們自己。你們不知道你們自己，所以，我們還處於不斷地認識自我的狀態中。呵呵，你們竟然想花費時間去學這麼一樣東西！」道長也呵呵笑起來。

無話不說：「舉凡生命反常現象，都不應該忽視。道長，你不公平，你不替我們想想，這也算可以啊！也是挺牛的一門功了！必要的時候也可以混口飯吃！」

生的偉大：「不公平的再一次不公平，就等於公平……」

大家笑。

道長笑：「這不是生命的反常現象，而是屬於沒有被開發的潛能。」

生的偉大扶了一下眼鏡：「像我這樣來學用耳朵看字的話，我的眼睛是不是用進廢退，就會更加近視了？」

道長：「其實也不僅僅是耳朵，你身體各個部位都可以『聽字』……」

生的偉大嘿嘿笑起來：「那我簡直滿～身都是眼睛了！我要修煉一下。」

大家狂笑。

無話不說嚴肅地：「道長，反正你也不給我辟高級的穀，我就學這個低層次的東西，得用多少時間啊？不會用上畢生的精力吧？」

生的偉大大笑：「對你很難說，這要看你的資質狀況了……」

道長：「正常情況下像你這種狀態，如果說每天練習三個小時，估計兩年就差不多，倒不用你畢生的精力！」

生的偉大笑：「那不一定，人是會變的，有的人就需要畢生的精力……」

一時月光之下，笑聲翻飛……

道長：「這個功太容易，才兩年就能夠掌握……很多人會覺得不可思議，其實像我們辟穀，不了解的人覺得不可能是眞的，人怎麼能夠這麼多天不吃東西？靠什麼活著呢？現在你們自己體驗了就知道，也沒什麼！」

無話不說慢條斯理：「我可以說服自己對辟穀不再感興趣，我選修用耳朵看字。道長，你說話要算數。我勸大家都試試看吧，看哪個智商高點的會成爲我們中的種子選手，萬一我不成功，也不表示這是無效的……」

笑……

生的偉大：「你要先進行一些清理工作，很可能你的耳朵看不見字，是因爲你耳朵裡面陳年貨色過多……」

有人笑得像要鑽進草地裡面去……

道長：「你們是在笑無話不說，還是眞的也不相信用耳朵聽字？我們反覆在說我們對自我的認識有很多侷限，我們毫無疑問地把現在的這個我，侷限到一個固有的狀態上去。打個比方，我們說到一個人，比如說你，無話不說，你是一個什麼樣的人呢？你的體重有多少？」

無話不說認眞地轉過頭來——

11
腫瘤到哪裡去了？

道長：「當代醫學遵循的還是『物質不滅定律』，這是西醫發達的德國醫生親口告訴我的——所以當他們看到病人的腫瘤在他們面前消失了，他們驚疑了：腫瘤到哪裡去了？根據物質不滅的原理，腫瘤一定會在哪個地方啊……」

無話不說認眞地轉過頭來：「一百一十四公斤，患有糖尿病。」

道長：「好，無話不說是由他的名字和一百一十四公斤的身體，以及身體上這些完好的器官構成的。他身體功能的每一個指數，包括他的尿糖、身高，都有一個額定的數字，一般人從這些數字上就大致能夠勾勒出他的外貌體魄，而專業一些的人能夠從他的另一些數字指標上描繪出他身體健康的狀況。那麼，等於無話不說就是這一系列功能指數的總和，我們要認知他，就從他的指紋、DNA、外貌等指數來描述他，他這一個人就被這一組資料額定住了。但這眞的是無話不說嗎？我們把他全部資料化了之後，他自己都不會承認這些數字的總和就是他。任何一個人都會驚異：這些資料就是我嗎？那個眞正的我到哪裡去了？」

無話不說：「雖然我不會承認這些資料就是我，但是這些資料確實也是代表了我，因爲那不會是別人的資料。其中血糖的指數就是高。」

道長：「對，你說的對，但是你的心靈特質呢？那個『具有心靈特質的我』呢？人是有感覺、有感知、有靈性的生命啊！這些數字是可以代表你的一個方面，但眞的是你嗎？你眞的承認自己就是一堆數字的總和嗎？」

無話不說：「不僅僅是吧。」

生的偉大：「無話不說，我知道道長爲什麼不給你辟穀了。你是認識論的問題。你又要吃人家的又嘴硬，哈哈！你看我，我就沒有想過辟穀，儘管我已經達到了無欲則剛的境界，但是我的認識態度是相~當有悟性的！我就堅決不承認這一堆數字就是我，就像我雖然是學科學的學生，但是我也不認爲這一堆肉就是我！我正在找我的靈魂，這個是資料描繪之外的東東……」

大家又像滾開水一般翻騰起來，直到胖子「哎」「哎」地阻止。

胖子：「……我們聽道長說行不行？其他的人自己回家寫論文……」

道長笑：「從道的角度來講，每一個人，我說的是肉體上的這個人，是可以被有限化的。我們生活的就是這個有限的世界，我們把握的是有限的我，我所有的所有都可以被這個『有』所開發。比方說剛才我們說你的身高、體重，你揮出去的這一拳有多少公斤？你能做多少事情？你能跑多快？都可以被『有』量化出來。但是有一個是不能被量化的，就是一個人的本體是不能被量化出來的。我們的思想是無的，我們的思想是和宇宙的無限性合在一起的。從我們的個體來說，從我們的精神上來講，我們要做的是超越自身有限度的我，變成無限度的我，在這個過程中，我們和宇宙的本體相合，我們的思想才會……」

無話不說：「對不起，我打斷一下，我有疑問。我雖然是有求於道長，像生的偉大說的，算是吃人的嘴短了，但是我也得實事求是，有什麼說什麼……」

道長笑：「他是開玩笑的，你別這麼認眞。」

無話不說：「今天我抄《常清靜經》，說『上士』和『下士』，上士怎麼著，下士怎麼著。我，看來生就在下士了，你說我，思想再和宇宙相結合，再超越，我頂多思緒偶爾地回到了北京，但是我這個肉殼子肯定還是在這兒坐著。」

大家笑：「你是什麼意思？說明白一點，你想說什麼？」

無話不說：「我已經說得很直接了。像我，不可能做到和你們說的神仙一樣，意識去了哪兒，我這軀體就到了哪兒。但是有的人依照你們說的，就一定能夠做到，是不是？他有無限的那一部分。這是我覺得荒謬和可笑的。我的資質不夠是肯定的了，所以我要請教你們：我，怎樣才能夠做到無限？」

一人再次強調：「道長，你眞的需要給他辟穀，你看他一說話就語無倫次，需要徹底消毒……」

另一人：「不過無話不說倒提醒了我，一個多月前不眠夜說過一件事情，說他的一個朋友曾經遇到過一位大師，他們一起開車在北京，大師說你想去紐約嗎？把眼睛閉上，那人便把眼睛閉上，再睜開眼一看，眞的全部街景都是紐約，車子眞的開在紐約的大街上。大師說你再把眼睛閉上，他又閉上，再睜開眼睛一看，又回到北京來了。」

我呵呵笑，這種說話的風格確實很像是不眠夜。

無話不說：「是不眠夜說的，還是他親自體驗的？」

人：「你看……是不眠夜說他一個朋友的遭遇。」

無話不說：「這麼說的人太多了，太不可靠了！這就是這麼一說！連這種說法都不可靠，還不說可能不可能！」

大家又「可靠」還是「可能」「不可能」地爭論起來，最終問題拋甩給了道長：

「道長，你說，這麼荒唐的事情還不屬於是瞎說？這不是蒙人嗎？」

道長：「好吧，我們就從這個現象說起。現代科學的發展，互相之間的交叉性越來越大，一個科學家統籌知識能力的下降，就會表現在越來越走向專業化，所以就無法把很多東西靜下心來細想。還是以醫學爲例子，現代醫學還是處於牛頓力學的角度上，還沒有把現在成型的量子力學的知識拿過來，西方的能量醫學才剛剛啓蒙。剛才你們講到的這一系列現象，你們都覺得似乎很神奇，這些在道的修煉中只能算是一個小的術而已。是因爲我們對自己的生命、對社會的發展，以及對自然沒有很好的認識，所以才好奇到完全認爲這不可思議、幾乎是蒙人。」

道長停止下來，在思考著什麼，然後他抓起小茶几上的手機：

「這是一支手機，如果讓這支手機當著你們的面消失在這月光下，你們一定會認爲我是在耍魔術——手機怎麼可能不見呢？其實你們從來沒有仔細想過，這個事情已經不是一個練功人的術，一個玩魔術人的術，覺得『不可能』的認爲反而是很荒誕的。」

大家驚愕：「怎麼可能？」

道長：「上個世紀成型的科學已經告訴我們，這是有可能的。你們都學過質能互換定律，任何物質都可以變成能量，這是一個已經得到認證的理論，原子彈的原理不就是這個道理嗎？一個人如果能夠合理地應用他的能量，他整個人就可以變成很多顆氫彈的威力，這就是我們上個世紀成型的理論。而當代醫學——呵呵，又要提到它了，去年我到德國講學的時候發現，當代醫學至今也沒有把這個質能互換定律理解、應用進去。當代醫學遵循的還是『物質不滅定律』，這是西醫發達的德國醫生親口告訴我的。我們至今也有相當多的人依然這樣看待世界。他們說，『我們遵循的是物質不滅理論』，所以當他們看到病人的腫瘤在他們面前消失了，他們驚疑了：腫瘤到哪裡去了？根據物質不滅的原理，腫瘤一定會在哪個地方啊……」

無話不說：「我不管什麼律的，我也想知道：你把腫瘤弄哪兒去了？」

道長：「就是質能互換啊，我們說了一個晚上不就是這個嗎？道教的修煉叫做練精化氣、練氣化神，我們叫三化法，本來就能夠把它化掉，化掉就是把它能量化了。腫瘤，癌症，就是這樣被引導走了的。但是這個不是西醫，也不是你們認爲的所謂中醫能夠做到的。」

生的偉大：「是質能守恆，不能說是物質守恆，是不是？」

道長：「上個世紀已經成型的理論，就能夠把我們面前的你——無話不說，把你消失掉……」

無話不說：「變成許多顆氫彈?!」

道長：「愛因斯坦定律的根本意思是什麼呢？所有的物質，都是等待釋放的能量；所有的能量，都是已經獲釋了的物質。是不是就是一個簡單的道理？它就可以消失掉，你也可以消失掉，利用這個原理，我們把火箭送上了天。」

無話不說：「趁我還沒有被你們能量化掉前，我還是得問：是用什麼方式呢？這不能僅僅是想像啊！我們都可以變成氫彈，怎麼變啊？那得把我們磨碎了！」

大家笑，說無話不說報復心太強，只說把他一人變成氫彈，他卻舉了一個磨碎眾人的例子。

無話不說：「我們可以相互舉舉例子！現在得有這個過程，怎麼解釋，什麼方式，是不是？」

道長：「可以有幾種方式。第一種方式，就是我們修煉中的羽化，是宗教中經常有的狀態；第二，從古到今，出現了很多人體自燃，突然之間身體著火，這種自燃現象在幾百萬人中就容易產生一例。」

無話不說：「你說的不對，人體著火還會有渣子，羽化是沒有渣子的……」

道長笑……

眾人紛紛：「別聽無話不說胡攪……說說羽化是怎麼回事？」

道長言歸正傳：「這是道教中一種特別修煉的方式。其實每個人身體都有這種潛能，人可以在不自覺中，在特殊狀態下發生。而我們則是透過修煉激發出來的。修煉是有目的、有計劃的誘發……」

無話不說：「這個啊，核心就是，到底有沒有另外一個世界。」

一直沒有說話的常月笑了：「你說有沒有另外一個世界呢？」

無話不說：「當然到目前爲止沒有啊，沒有人向我證明說有；如果說有，也是我瞎想想自娛自樂……」

常月：「你想像中的另外一個世界又是什麼樣的呢？什麼叫另外一個世界？」

無話不說：「比方說人死了以後，就是死了、沒有了呢，還是有傳說中的另外一個世界？這一晚上道長都在說練精還氣、練氣還神什麼的，透過修煉達到另一種境界，但是這個境界到底有沒有呢？如果說眞的有神仙存在，那什麼都可以不存在了。」無話不說自顧自哈哈笑起來，「想上哪兒上哪兒！哈哈……這就是一個根本的問題！」

道長：「我們不是說過一維空間的生命體，與二維空間生命體之間的感受差異？相對於只有一個平面的一維空間生命來說，可以有二維活動空間的生命幾乎就是神仙，因為它能夠拐彎；那麼相對於二維空間的生命，三維空間的生命更像是神仙了，因為它還有一個高度，可以跳躍。對於我們三維空間的生命來說，四維空間、五維空間的生命是不是就是我們認為的神仙了呢？在五維空間，時間和速度無意義，可以倒轉，那個世界在我們的理解裡已經完全是兩碼事了。我們看見一個什麼東西突然在視線裡消失了，不是很奇怪嗎？其實也沒什麼，可能他們只是擁有另外的空間罷了。」

我很弱智：「空間，維度，是什麼樣的概念呢？」

生的偉大：「從數學的角度來說，空間是可以有無數維的，是交感的。」

無話不說：「道長，你的意思是說，神仙有可能就是更高緯度的生命？因為人還很低級，還沒進化到那個程度，所以就很神奇？」

道長：「是你片面的或者說直接的理解。中文的『仙』字是這樣組成的：人字旁一個山，人在山中。如果按照傳統的寫法，是人字邊一個變遷的遷的一部分（僊），就是說人的遷移，像生命形態的躍遷一樣，我們道家稱為仙。透過道家的修煉，我們知道，人的生命實際上有很大的潛能，同時我們也知道，我們現在人的表現形態，是正在進化中的一個形態，我們並不是我們生命體的最高表現形式，只是在漫長進化過程中其中一個表現形式。判別我們所處的位置，人只是在整個生命形成中的一個過程而已。那神仙是怎麼一回事呢？我們道家把仙認為是生命一個高層次的運算式。我們都知道達爾文的進化論，但是在我看來，那是一個階段性的東西，其階段性正在等待修正。就依照進化論來說，我們是從單細胞，從很簡單的一個生命體逐漸演化、進化而來，難道到今天我們已經到達進化的頂點了嗎？人已經是最高級的生命狀態了嗎？遠遠還沒有。在一萬年之後、十萬年之後，人的形態還會發生很大的變化。到現在爲止我們已經知道，包括基因科學家都這樣認爲，我們的生命是可以活到一百五十歲、兩百歲或者兩百五十歲的，我們的壽命還遠沒有達到我們應該達到的壽數。腦科學家告訴我們，人的大腦在人死亡的時候只用了大約百分之幾，有百分之九十多都還在沉睡，同時我們生命體自身的功能也還有很多東西都沒有得到開發。有的時候我們的身體會突然迸發出一種潛能，比如在特定的環境裡，我們爲了生存的自救會激發出很大的潛力，遇到大火時，人們會突然跳過平時根本就不可能跳過的壕溝。有一個玩笑，一個富翁在懸賞，看看有誰能夠勇敢地從這個鱷魚池中游到對岸，就懸賞一百萬！馬上就有一個人跳下鱷魚池飛速地游向了對岸，果然比鱷魚的反應還要快。人們都很敬佩這個人有這樣的膽量和速度，便頒獎給他，結果他氣急敗壞地說，『是誰把我推下去的？』他爲了自救，所以游得比鱷魚還快！」

大笑！

無話不說：「我現在就是另一種形式的被推下鱷魚池了！」

生的偉大：「遠不是。如果是，你自己就能夠自救了，還需要別人同意你辟穀嗎？」

道長：「身體的潛力是完全出乎我們自己預料的。還有一個差點被嚇死的實例，重慶針織廠有一個女工，在例行體檢時檢查出得到癌症，這個女工當天回家幾乎走不了路，幾天下來消瘦了十幾公斤。她的女兒在深圳打工，不相信媽媽會得這個病，堅持要媽媽到其他的醫院再做檢查，結果發現確實是誤診了，她媽媽的精神馬上大不一樣，從一個已經幾乎不能走路的、瘦弱的『病人』，到三天之後就能去上班，要把失去的損失奪回來。一個物質性的生命體，很快地可以消瘦十幾公斤，眼看要滅亡，到精神煥發，只是一種心理作用——想想看，人內心的那股力量有多大？假如我們現在做一個惡劣的試驗，就能夠證明意識的作用，我們全都串通好，包括所有醫院的醫生，都說他——」

道長又指向了無話不說！

道長：「騙他，都說他得了癌症，包括他所有的親人、家人、朋友、醫生都一致這麼說，要不了幾天，他就會完蛋了！」

無話不說可笑地側了側身子，讓道長的手指指向了黑乎乎的身後……

12
生命的潛能

道長：「生命的潛能在無意之中完全能夠被我們調動起來，尤其是當我們面臨危險的時候。而在平時，還有許多沒有被我們所調動的潛能在我們的身體裡，這包括我們的生命體還可以活得更長，生活得更好。我們還沒有認識到的能力太多太多了……」

無話不說：「良性意識！我不接受你的這種暗示……」

眾人笑……

道長：「好，不錯，起碼你已經接受『良性意識』這個概念了。我沒有暗示你，只是用舉例和你開個玩笑。我想借這個說明：如果心理暗示可以殺死一個人，那麼反過來，同樣也可以治好我們的病。這是一種力的作用。」

月色中一人頗認眞、頗天眞地：「這種力就叫做想像力嗎？」引來笑聲。

道長：「我們除了強作用的、物理上的力之外，還有什麼其他的力可以被利用呢？我們生命的潛能如果是一種力的話，是被一種什麼樣的神祕機制引導的呢？」

生的偉大：「我見到過的，比如兩個足球隊比賽，比賽結束後，兩隊都有人受傷，肯定是勝利的那一隊隊員的傷好得快，哪怕傷勢重一些……」

道長：「是的，大部分人在一些暗示下都會產生很大的力量。一個人中了六合彩得了大獎，他可能正在感冒發燒，立刻就好了，興奮得滿街跑。感冒是個過程的東西，要發燒，要頭痛，要喉嚨痛，但是這些症狀可以瞬間都消失。還有像大家都知道的，一夜之間由於愁苦萬狀白了頭的白毛女，伍子胥過韶關也是一夜白頭。頭髮是一種物質性的東西，受到心力的焦慮可以發生這麼大的變化，那是什麼樣的作用把它變成這樣的？重慶綦江原縣委書記，因爲震驚全國的『彩虹橋』垮塌事件被『雙規』，那是有目共睹的現代版『一夜白頭』。這不是簡單的想像力和一般的心理暗示。我們沒有去深想一下，它是一個力，是一個很恐怖的力。這個力如果被開發出來的話，是很不得了的事情。這個力如果一旦被我們掌握和利用，對我們生命的形態和疾病的改變，具有顛覆性的作用。它不但是爲人類謀福利，還能夠改變人類，不但改變疾病的狀況，還可以轉變生命的形態，還有向更高程度的生命表達狀態的提升。」

胖子：「透過辟穀，也是希望調動這股力量吧？」

道長：「辟穀是一種純粹自然的調動方式。如果你們能夠透過修煉自己辟穀，效果會更好一些。其實中國有一種傳統而古老的說法叫沖喜，就是人爲地在尋找這股力。」

一人：「是嗎？眞的有用嗎？我看電影裡面、小說裡面從來都沒有成功過，總是沖喜之後，人還是——走了。」他猶豫著選擇了一下用詞。

道長：「我們有句古話叫做『人逢喜事精神爽』，在大部分時候，沖喜能夠解決很多問題。但爲什麼沒有達到效果呢？你們是很難理解的，是因爲接受的波不夠大。力不夠大；某個層面上也就是『信』的程度不夠大。」

人：「也可以說得到的暗示不夠大？」

道長：「暗示是什麼東西呢？暗示和情緒有關。情緒和什麼有關呢？情緒和我們的潛能有關。我們生命的兩個系統：顯在意識系統和潛在意識系統，是生命的兩個能量系統。顯在的能量，我這一拳出去五十公斤，非常明確，能夠量化。但是潛能呢？在心理學的催眠書中都能找到揭示人體潛能的例子。」

生的偉大：「我看過。放一枚硬幣在實驗者的腿上——多半是囚犯，因爲老外認爲這樣做人道

（眾人笑）——然後用催眠術暗示這個可憐的囚犯，這是一個燒紅的烙鐵，他的腿上放著硬幣的地方馬上會出現二度燒傷；如果說放的是冰塊，腿的這個部位便會馬上出現凍傷。」

生的偉大說完，得意地推了把無話不說。

無話不說：「推我幹嘛？我接受的良性意識多。而且現在，越來越良性意識。」轉而：「道長，你不會用這個良性意識來給我治病吧？」

眾人笑……

道長笑畢：「生的偉大說的這個，已經不是一個理論上的東西了，任何一種催眠術都能夠辦到。人潛在的這股能力在催眠狀態上被調動，自己是不由自主的；而我們是在清醒的狀態下、在練功的狀態下，力圖調動我們生命的潛能。這個和催眠不一樣，和你說的（指我）精神病狀態也是不一樣的。這是由我們自主的一種調動方式。我們首先要認識到生命是一個巨大的能量，可以不由自主地被催眠師所調動，或者利用特殊的方法被我們自己調動。這股力量是相當大的。」

生的偉大：「有則新聞報導，一對美國夫妻一起去爬山，男的在懸崖上失手掉了下來，妻子居然用牙一口咬住，那麼長的時間，直到被營救。這在正常狀況下都是不可思議的。」

道長：「生命的潛能在無意之中完全能夠被我們調動起來，尤其是當我們面臨危險的時候。而在平時，還有許多沒有被我們所調動的潛能在我們的身體裡，這包括我們的生命體還可以活得更長，生活得更好。我們身體的潛能也包括幾十天不吃飯、可以放棄用鼻子呼吸等種種可能的潛能。我們還沒有認識到的能力太多太多了……」

又是無話不說扭轉了話題：「道長，你說的這個潛能，這種現象肯定是有。既然科學家、心理學家什麼的都已經注意到了，連生的偉大都看到這麼多的八卦報導，就讓他們去弄吧……」

大家笑（爲節約篇幅，我集中眾人話語）：「什麼叫讓他們去弄吧……他們若能夠相信這股力量還可能有％¥％#¥％嗎？……我們古人的飛簷走壁是不是也和這股生命中神祕的力相關……」

無話不說：「別說什麼飛簷走壁了，看武俠小說去。咱們說點迷信的，人們常說的神、鬼之類的附體，眞的有嗎？還是胡說的？」

道長笑：「你說的這個，是資訊不滅，我們可以身體的方式存在，也可以波和波群的方式存在。以波和波群方式存在的基本狀態，即是以能量狀態存在的生命狀態，以資訊狀態存在的生命狀態是不滅的。爲什麼大部分人都不相信呢？認爲這是胡說呢？是因爲我們現在還是在『有我』的這個『有』的程度上去理解。」

生的偉大：「我聽著怎麼一點也不迷信呢？都沒有辦法反駁……」

笑……

道長：「『有和無』已經不是我們道家學說在說了，能量和物質質量的轉換，已經是現代科學的一個解說。我現在基本上把道家的解釋拋開，用現代科學的語言方式來講解這個道理。用我們傳統的方式，我應該講的是練精是怎麼化氣的？練氣又是怎麼化神的？練神又是怎麼還虛的？……而我現在盡量不跟你們談這個，我和你們談現在科學的探究問題。」

無話不說：「對現代科學我不感興趣，我就想玩純的，越迷信越好（笑）。我提到的問題還是沒有得到答案。」

道長：「什麼問題？」

無話不說：「山裡面到底有沒有神仙？」

道長笑：「我剛才不算回答嗎？神仙，就是表現出不同層次潛能的人。」

無話不說：「哦。那就低調一點了。」

笑……

生的偉大：「請你闡述一下低調？」

無話不說：「比方說神仙的特徵是什麼？長生不老啊？」

道長呵呵笑。

常月：「如果神仙眞的在你面前出現了，你能夠認出來嗎？」

無話不說：「那他讓我認嗎？」

道長：「神仙的狀態實際上很簡單，當我們修煉到一定程度，可以把物質化的身體能量化，就可以在各種形態下存在，甚至可以重新變成人的狀態存在，這就是我們說的『仙』。」

無話不說沉吟了一下：「你這樣說，我能達到的最高境界也就是半信半疑。」

生的偉大：「如果你能夠半信半疑，那就是科學在進步了……」

道長：「這實際上都是可以實證的東西……」

無話不說：「是嗎？實證來看啊。」

道長：「你在理論上並沒有接受，我只能還是用現代科學的邏輯跟你講。實質上這非常簡單，首先你要去修煉，你就可以感覺到，也可以和他們對話、交流，這就是你透過自己在實證。道家的功法是一步一證的，道家的三十六個層次，每到一個層次都有證道的方法，用你們的話說，它是一個程序一個程序進行的。在證道的層次過程中，完全不是我們想像的，三個月是個什麼景，一年是個什麼景，五年又是什麼景，每個階段都是有驗有證有景的，它是一步一步的，有各個階段的理、法、術。比方你們都看見了他們這幾位在辟穀，在達到生命中的一個層次，這個層次是一個中間的層次，是突然之間我們讓他們辟穀，本來應該是先練一段時間的功，要練精化氣，練小周天，然後再進入這個辟穀的層面。然後呢，就是胎息，停掉日常的呼吸；然後就有可能達到我們的整體入定，然後我們的陽神可以出竅，意識形態可以脫離我們的身體而存在，這些就是我簡單和你說的話，都是一步一步達到證實才能進行下去的。當你達到第一步、又做到第二步的時候，你已經知道，這個東西全部都是可行的，因爲你可以感覺，你也可以交流……」

無話不說憤憤不平地指著我們：「那他們是抄近路了！」

一人：「我看過一本書，裡面講到西方在中世紀有透過煉丹術而修煉成功的，到現在據說有十八個人已經超過兩千多歲了……」

眾人驚愕……

生的偉大：「兩千多歲的是有，但是那不是人，是人參！」

大家哈哈大笑……

無話不說陰惻惻：「找一根兩千歲的人參都難，不用說找一個兩千歲的人了……」

大家瞬間爲兩千歲的人與兩千歲的人參七嘴八舌……

13
從人到「仙」的進化

道長笑：「生命是有巨大潛能的，其潛能能夠表現到哪個程度，生命表現的層次是不一樣的。可以說我們把仙看成是不同程度的人！或者說是開發了、利用了我們潛能的不同程度的人。」

道長聽著，笑著，搖著頭：「我們這裡從來沒有這麼熱鬧過……」

無話不說：「咱們還是言歸正傳。道長，你剛才說的那些潛能啊什麼的，我認爲都是在人的範疇裡面。讓我們一步蹦出去就是一百公尺試試看？那就不是人的潛能了！所以，你說的還是在人的範疇裡。」

道長：「你說的是生命的另外一個層次了。我們生命有三十六個層次——這是我們道家的認爲。我們透過修煉這樣的方法，不斷地提升我們生命的層次。」

無話不說：「有三十六個生命的層次？包括我們這樣的人？包括昆蟲嗎？」

道長：「你反覆地在疑問神仙是什麼，神仙就是看你站在哪個角度上去看，看他生命的表現形態。你們都看了《常清靜經》了，其中有『吾不知其名，強名曰道』。老子說我看到了這個宇宙的實相，無情無名無形的形態，生出了萬有的世界，使萬物得以生長，得以循環，得以生生不息。面對這樣一個實相，『我不知道怎麼去表述它，我勉強地用一個詞——道，來說明它。』仙也是一個詞，是人在山中，實際上是人的一種變遷，生命的一種類型，就像一個程序的躍遷一樣。在道教裡面有三十六種生命形態，生命的三十六種表達形式，每種生命表達形式的狀態和功能是不一樣的。生命從單細胞躍遷到一隻小狗的這個層次上來，是不是一個了不起的躍遷啊？從一個簡單的細胞到一個巨大的複雜系統！而站在小狗、小鳥的角度上，牠們不小心看到了類人猿，一定會認爲類人猿是神仙，牠不能想像類人猿竟然能夠達到這樣的智慧，可以發明火、利用火，還可以組織生產和勞動。同樣的，站在類人猿的角度來看我們今天，比如說看到了你——」

無話不說習慣性地又想閃身躲開，大家笑了起來。

道長笑：「當然你不願意的話也可以是看我，看我們之中的任何一個人，覺得我們就是神仙，我們人居然可以把鐵做成汽車開到馬路上去，還把火箭發射到天上去，還可以用衛星定位，從類人猿的角度，如果他們能夠看得懂的話，絕對會認爲我們是神仙……」

無話不說堅決地打斷道長的話：「這個前提是我們看類人猿，是站在我們這個前提下看他們，而不是類人猿看我們；我想知道的是站在我們的角度往前看，有沒有那些高於我們的生命存在……」

道長：「這不是同一個道理嗎？生命就是從單細胞逐漸慢慢進化的。如果我們不加以修煉，我們順著這個方向走，也是會自動躍遷的，這種躍遷，我們叫做『進化論』。我們的生命從單細胞一個層次一個層次進化到今天，而且我們也確切地知道，這個躍遷，人生命形態的變化，還在繼續下去。」

無話不說：「你的意思是，從人到仙其實就是一種進化。」

道長：「是。這種生命的躍遷本身也在持續下去。人還有非常大的發展空間……」

無話不說：「你是從理論上講了這種存在的可能性，但你沒有直接回答，就是有仙，仙可以怎麼地怎麼地，你並沒有直接、簡潔地講。」

道長笑：「我還沒有回答嗎？當然仙就是有。仙應該說是一種更加智慧的生命類型。生命是有巨大潛能的，其潛能能夠表現到哪個程度，生命表現的層次是不一樣的。可以說我們把仙看成是不同程度的人！或者說是開發了、利用了我們潛能的不同程度的人。他躍遷的一個層次就是他開發潛能的程度又進了一個級。」

無話不說：「你講的是一種推測，而我們想知道的是一個證明。依照這種說法，那人人都是仙了，六億神州盡舜堯了！」

道長：「你說對了。像我們道家說的，人人都在道中，而佛教說人人都是佛一樣。」

無話不說：「你這講的還是境界！」

道長微笑地：「我講的不是境界。」

無話不說：「而我就想知道，這兒，這幾個不吃飯的仙也在——在我們周圍，人生活的地方，我想知道的仙到底有沒有？」

一個來自馬來西亞、熱帶水果一般的女子笑了：「你是不是就是想看到嫦娥飄下來？」

無話不說：「對，也可以這麼說，我今天是死磕了，非得把這個問題弄清楚不可……」

大家笑，表示也是非常想看到嫦娥從月亮上飄下來……

道長：「我們首先分成理論和實踐兩個部分。」道長指向我們，「他們就是某種程度上實現了的仙，他們練的功就叫『人仙功』。他們之中有辟穀十五天的，也有二十一天的，不吃任何東西，這個你們現在已經不用懷疑了吧？不眠夜，你們都認識，他辟穀二十一天，很成功……」

道長笑起來：「我們的每一點進步都要付出很大的時間代價，因爲我們的習慣認爲太堅固了……」

生的偉大笑：「堅固得完全可以抓出來，接起來，去防洪！」

道長：「呵呵……如果今天沒有人在辟穀，我們就人可不可以這麼多天不吃飯、辟穀到底是不是可能的，都能夠討論好幾天……」

無話不說：「你說他們是仙也行，但他們是人仙，不是神仙……」

道長：「這套辟穀的功法就叫人仙功，脫胎換骨嘛。我們的生命——」道長用手指著自己，有點說不清楚的困難，「本身的這個我，不是一個有限的我，而是一個無限的我，是我們被有限的自我意識形態侷限住了。當我們一旦發現了這個無限的我，希望和宇宙的我合一的話，那麼就找到我們的眞我了。眞我怎麼體現出來呢？大家會認識到，『我原來是具備整個宇宙的功能的』，具備這個宇宙的功能就是發現我自己的潛能是無限的，那麼……」

無話不說：「不——」

道長阻止他：「聽我說完。反過來說，我們把生命的過程看成是一個巨大潛能不斷開發的過程，不斷顯現的過程，就是我們平常說的『進化』。這個過程是自然的顯現能量，就是我們說的『道在證道』的過程，不斷地顯現我們自身的潛能。那是由一個自然的過程，還有是透過一種特殊的方式，有計劃、有目的地開發這個能量，使我們不斷地走向無限度的我，這個我們可以選擇。某種意義上來說，當你顯現出來了和現在這個常規的我不一樣的潛能，是我們生命體的又一次進步，在某種意義上這就是仙。你不要把仙看成是一個很古怪的事情，仙有很多很多形態，有和你長得一模一樣，那是人類的仙，也有多了五十年、六十年功力的，他顯現出來的狀態可能更高，表現出來的能力可能更大……」

無話不說：「肯定是我們肉眼能夠看見的？」

道長：「肉眼能夠看到的是一部分，還有一些是肉眼還無法看到，只能去感覺到的。」

無話不說：「就不說感覺了，那基本上是死無對證的東西，就說能夠看到、有表現出來能力更大或者說超人的、狀態更高的，有嗎？」

馬來西亞水果女子：「道長能夠埋在水裡沒有呼吸兩個多小時，你知道嗎？」

大家都驚訝地看著道長。連我的第一個反應都是：瞎說。

道長：「就是回到胎息狀態。」

生的偉大：「完全在水裡？你（指著馬來西亞女子）看見的嗎？」

道長：「是幾年前我在上海電視台『天下第一』節目現場演示的，坐在完全封閉的水箱裡面，然後我關閉以肺爲主的呼吸系統。這個事情是和辟穀一樣的……有的時候爲了讓人相信道家所說的人的潛能，相信我們的修煉，我們也要表演一些術。」

生的偉大轉向無話不說：「那你認爲的神仙是怎麼樣的？」

無話不說頗嚴肅地：「我想我們在座的人都可能同意我這個觀點，就是人，到現在還有很多沒有開發的、我們不知道的潛能，這個誰都承認。但是你沒有開發的東西，它也是相對的，也是在一個有限的範疇裡面，你再怎麼開發，你也是人啊，你也不是妖啊，你不是不存在五官和肉體的那種東西啊，我的意思就是說……」

道長：「我知道你說的……」

無話不說：「你剛才說的是在相對的、有限條件下開發的潛能，現在我聽到的是什麼呢？是要超出這個了，我不能說從某某身上開發出來一種潛能，我就能夠推斷人可以無限地那個東西了！是我那個……我不贊同的。」

大家大笑，沒有人聽得懂他究竟要說什麼！

無話不說：「無話不說，我想知道你自己是不是眞的聽得懂你在說什麼？」

無話不說：「說實話，這麼難辦的問題，我確實自己也是不太聽得懂。但是我懂不懂無所謂，心裡的想法就是這麼難表達！所以這個世界上有離婚，有『掰』呢，就是彼此不懂了！」

大家又笑！

無話不說：「你們別打岔，我問道長呢。剛才我們說的那個，我明明是在北京的，一會兒騙我說到了紐約，車窗外眞的是紐約了，這不是魔術？」

道長：「好，兜了一個圈我們又回到剛才那個話題了。我們先從理論上說。比方說，他，現在在我們身邊和我們說話，突然間不見了，能量化了，但是一會兒之後又回來了，你覺得這不可思議，對不對？」

無話不說：「對！就是這個！」

道長：「但是，這是現代科學已經可以表達的、可以辦到的！」

無話不說：「那你辦一個試試，讓我心服口服！」

道長：「任何事情都要有條件和前提，如果用現代科學的方式創造一些條件，讓它發生變化，那麼在我們的道教裡，它就是一套嚴格的修行方法。這一修行方法的目的就是爲了讓生命發生轉化。」

無話不說：「我知道，你又要說練什麼化什麼了……」

道長：「但是你眞的知道是練什麼、化什麼嗎？道家在幾千年以前本身已經是一套成型的方法了，所謂練精化氣就是把物質的精華化成氣，氣是能量。把形化成氣，氣和我們的神和在一起，然後回到虛的狀態裡去，回到我們生命的本源狀態上去，這就是道家修煉的一個過程。這些本來就是在道家裡面很成型的方式，我只是把它們翻譯成了一些基本的原理，以現代的語言方式來說明，現代的科學也可以用它的方式來表達這個狀態，但是比我們修煉要晚很多很多了。這個『晚很多』，是以『千年』爲量詞的。就是這麼慢。」

無話不說：「如果透過修煉，在我們離開這個世界之前，一定會有很多人修成仙？」

道長：「那太多了……」

無話不說：「就是科學家除外，因爲他們要很多個科學家積累出來若干千年，一輩子對他們來說是不夠的……」

大家笑。

無話不說：「就算有這個仙，那他們一天到晚都在做什麼呢？我說的不是一句無聊的話，我的疑問很嚴肅：這群我們現在還不知道在哪裡的仙，他們整天都在幹嘛呢？還不是應該負責爲人類尋找幸福的生活嗎？就憑這點理想，也應該讓我們看看！」

笑！

「你還是想看到仙……」「主題沒有變……」

無話不說：「你們不想看？你們就毫不懷疑的全盤相信？」

一人：「我們和你的思維方式不一樣……」

無話不說：「是，你們層次高，我層次低，但是我這麼低的層次，我就是要一個說服力！」

道長笑：「好，現在我們已經說到仙的責任問題了，呵呵，大家都已經習慣了一個『社會責任』的關注了！」

無話不說：「是這樣，你弘道的目的是什麼，不就是爲了眾人謀福利嘛！道家、佛家都是啊，你都已經成仙了，當然你的責任更大了！我不是說你啊，我是在說那些躲起來的仙。」

無話不說的「說」在黑洞洞的空間指了一圈。

道長呵呵笑著自言自語：「是說關於神仙應該怎麼來幫助人的……」

生的偉大推推他身邊已經將近十天沒有吃任何東西、從香港來辟穀的朋友：「你們不是快要成爲仙了嗎？你們要怎麼拯救我們？」

香港先生也呵呵笑，點頭：「有的，有的，有很多常人不可能得到的體會和心得，等我辟完穀……」

大家笑。

道長：「我們說的這個仙，實際上不是一般社會意義上的個人身分地位、政治面貌什麼的，並不是這種概念。他們對於人類，當然有一個很大的願心。他們所有的成就，無一例外的就是想幫助我們成就。」

無話不說：「對！我問的就是這個，問題是我們沒有看見他們使勁，只看到社會的各種黨派。」

馬來西亞胖水果女孩笑得喘不過氣：「他們不使勁，你能夠到這兒來嗎？」

無話不說睜大了眼睛：「你說什麼？我到這裡來是他們使的勁嗎？」

水果女孩笑著調侃：「你又這麼不相信，你又來了這裡，不是他們使的勁，難道是你自己使的勁嗎？你自己的勁會讓你離這裡越來越遠！」

眾人七嘴八舌，有贊成，有疑問，有開導，有譴責……

道長笑著嘆了一口氣，再次重申：「唉！我們這裡講道從來都沒有這麼踴躍過！」

眾人大笑：「是從來沒有這麼亂過！」

常月：「原來比較亂的只是一個不眠夜，現在好，亂成一群！」

大家的笑聲驚動了蟄伏在屋瓦上的一隻貓，影子一般順著牆跳落下來，砸碎了一個什麼器皿……

無話不說等著看：「貓嘛！我以為有責任心的神仙來了呢……」

道長抬頭看空中：「這裡就有很多訊息，很多電波，我們的各個電視台、各個頻道發送的各種節目資訊只是太小太少的一些。但是我們若沒有電視機，就連這少少、小小的資訊都不會收到，不會知道它們的存在。我們以為不存在的，不能夠說『其實那就是沒有』。為什麼我們的手機響的時候，一定是在找我們的人打來的電話？因為手機準確接受了尋找我的人的資訊。資訊不滅是一個客觀存在的東西。生命體一旦變成能量化之後，就以波和波群的方式存在了。能量態的存在，需要我們去感受到它，就是需要我們去和它接通。處於功態呢，就是處於一種接受態，像電視機。」

無話不說：「就是說他等著我們去找他，是不是這個意思？」

引得大家又笑。

無話不說：「他的生命狀態不是高於人類嗎？他應該引導人類前進，還不顯現，還要我們去找他？」

笑！

道長：「他難道沒有引導你嗎？」

無話不說顧自說去——

「問題是從幾千年就開始了的仙，到現在攢的仙數應該不比人數少啊！就算再少，現在活在宇宙和地球各個地方的仙，至少有一億了吧？這一億個仙難道目睹著我們這樣的困惑……」

常月：「難道你沒有發現人類的發展始終是在走向光明？始終是在走向進步嗎？」

無話不說：「你的意思是只要引導人類進步和光明的，都是仙了？反法西斯戰爭的勝利者也都是仙？那這個世界就是仙的世界了！」

我剛剛恢復的一點氣力，幾乎被笑斷送！

無話不說：「我的意思是，咱們這麼一個產仙的國度，起碼我們……即使還不能達到第一世界，也該是第二世界吧？怎麼這些仙們，引導得中國到現在還是在第三世界？」

生的偉大：「你太牛了！你居然看出來了我們是產仙的國度！哈哈！厲害！」

一人笑著：「你TMD（純屬拼音字母，無不良涵義）……你把這個仙弄得太具體化了……

你嚴肅點！」

無話不說：「我相當嚴肅，眞正的仙當然得具體化了！」

道長：「呵呵，生命是沒有國度的，老子是只有中國人才表現出來一種異常的形態嗎？各種文化，各個民族，各個種族，他們的生命潛能都有自然表現，也有開發出來的，以不同的形態和不同方式。我們認爲中國文化是其中最博大和璀璨的，因爲我們的祖脈從來沒有斷裂過，它所催生的文明理所當然是全世界最偉大的文明。」

無話不說：「那就是說，兩個世界。像這麼古老的中華文明，我們的產仙量，也照樣是不管我們……」

道長：「你這樣說不對。」他沒有理會大家的笑、鬧，低頭沉默了些許——

道長：「其實我們這樣討論問題是很荒唐的。但是既然已經說到這兒了……你不是問那麼多的仙在幹嘛嗎？」

無話不說：「對。」

道長：「人類在走向光明是什麼意思呢？就是始終在走向不斷的進化。你的意思我明白，但我的意思你還不明白。生命不斷的進化和不斷的躍遷，就是不同層次的顯現生命的狀態，這種狀態就是從一個狀態走向另一個狀態。從某一個狀態來說，我們都是不斷地在走向仙，這個『仙』就是我們生命更高級的表現形態。這個一定要清楚，我們進化的方向是朝著這個方向走的，而我們的修煉是爲了提速，能夠讓我們在這個狀態中改變正常進化的時間、速度。比方說我們的大腦，若等待自然進化的話，也許要經過幾千年甚至幾萬年，也許上億年才能夠進化到變成百分之百地被利用。但是在練功的狀態中，我們的記憶力、注意力，還有大腦的思維能力，會達到高度的提升。我們的生命在正常情況下可能還要經過很多年，才能變成一百歲、兩百歲，而在練功的狀態中，就會盡快得到改善，在某種情況下就得到提速了。還有像你的糖尿病，正常情況下，人類擺脫它要花很多年的時間，那麼我們一旦提速了以後，從這個生命狀態躍遷到另外一個更好、更高層次生命狀態表達方式的時候，這些問題就不再困擾我們了。你不辟穀，也許有一天也能夠治好，但是透過辟穀的修煉，就好得快多了，這就是更高級一些的提速方法。當然這只是一個很小的例子，從根本來說還是屬於一個術。

「我們所說的仙也好，人也好，都是生命的表達形式，都是不斷地在顯現和表達生命的潛能。人人都可以是仙，人人都可以是佛，人人都可以是堯舜，無非是你顯示到了什麼程度而已。人人都可以是佛，並不是說你就是佛，你只是一個未來的佛。仙也是同樣的意思。如果你達到了佛的境界，你是要具備佛的全部功能的。你需要去發揮，需要去認知，需要去找到，於是你就成了佛。這是已成佛。你現在還是未成佛、未成仙，你可以透過學習、修煉，使你達到那種狀態。那麼透過我們這種修仙的技術，可以使生命變成一個更高層次的表達形態，它顯示在我們的腦力、智慧，還有提高我們的壽命，提升生命的潛能和功能。我們是不是可以在有、無的世界裡轉換？我們是不是可以表現成能量態？那就是能量和物質之間形態的轉換。那麼透過一定的修煉，我們練精化氣、練氣化神，最後還要陽神出竅，我們的修行狀態也是在朝這個方向去努力……」

14

氣　感

道長：「你慢一點，別急。感覺：當手放在胸前的時候，吸氣的時候，就像我手指的毛孔隨著鼻子的吸氣是同步的。膨脹，縮攏，膨脹，縮攏……」

我的手有發麻的感覺，手掌間就像抱了一顆透明、看不見的球，我輕輕在擠壓它，而它以一種難以名狀的韌勁反過來頂壓手掌，反覆……

無話不說：「說養生我還能夠理解，因為我覺得那是鍛鍊身體，跟得道成仙是兩回事。」

道長：「這是因為我們對養生沒有一個完整的認識，只是簡單地把養生看成身體的『身』了。養生從來不是鍛鍊身體的意思。我們到今天是不是了解了什麼是生命？我們反覆在討論了。所謂的成仙，就是生命的不同表現形式。我們中華民族的文化寶藏裡，養生從來就不是養身。」

無話不說：「你說『我們的修行狀態也是朝這個方向去努力』，這個努力的方向難道不是一個展望的方向嗎？所有的宗教都在描繪我們有生之年其實無法證實的東西……」

道長：「不是展望，在你的有生之年也是能夠證實的。在這個時代，人類的文明要產生一次巨大的、突破性的拓展。實際上，人類的文明從來沒有被一個地域完全侷限住。就像我們的陰和陽，我們把它分為東方的文明和西方的文明，這兩個文明都是透過實證科學創生出來的。東方的實證科學和西方的實證科學是完全不一樣的，它們都產生了偉大的科學體系、哲學體系和思維體系。但是人類到了今天，到了這個時代，需要在這兩個文明共同的融合之下來解決人的根本問題。在這個時代，我們要做的就是東、西方文明的接軌。你看你前面的這堵牆。」

道長指著無話不說面對著的、橫在小院底部的那堵鵝黃色的牆。

道長：「這上面寫有《清靜經》，也有修眞圖，還有修煉的經絡圖。在這裡面，都突出了一個眾術合修。我們都是一個眾術合修，從來沒有說只是一個人修煉這麼單一的事情。」

大家都看向那堵矮牆，牆上的人形圖，那些複雜、神奇、也很神祕的線脈、圖形，月光下依舊清晰可辨。

道長：「今天你們能夠到這裡來，我們可以坐在一起聊修行，都是因爲有非常好的緣分，要珍惜……」

無話不說：「我是珍惜，但我是被你們的緣分帶來的，屬於是被你們超度的。其實像我這樣，在修道的路上也算是渣子了，有我參照著，你們肯定就是修煉了、提高了，但是你們把像我這樣——他們都不算——把我這樣最難辦的，生生地給撂在了成仙的光明大道旁了，也不讓我看見仙，也不給我辟穀，你們的修行肯定也是受到一定妨礙的，不是我不給你們良性意識……」

大家愣了一下，大笑！

道長也笑：「你現在坐在這裡，就是我們當中的一份子，你和我們在同一條道上。你完全可能是修煉比誰都有成效的人，你不要對自己太錯認了。」

無話不說半閉著眼睛，有氣無力地：「我連任、督二脈都還沒有打通！」

生的偉大差點笑翻在草地上：「你找到任、督二脈在什麼部位沒有？」

道長：「你要相信，能夠坐在這裡，其中的緣分不是你想或者是你不想的問題，而是冥冥中有很多的因緣組合。你如果沒有特殊的緣分，絕對走不到這裡來。難道僅僅是因爲碰巧認識了他們幾位，你就有可能來嗎？認識他們的人很多啊，也有很多的緣分可以錯開啊，你也有很多的事情，你只要稍微這樣一點或者那樣一想，就有更多選擇是不會來這裡的。」

無話不說一直沒有笑意，沉默不語。

道長：「所以你剛才那些話，有很多你對自己的錯認。我們在這裡的相聚確實由很多表面的偶然現象造成，但是這裡面絕對有必然。這是一個必然的、因果的世界，不是一個偶然的世界。其中錯開一點，我們現在說話的對象都是其他的人了。而這一點一點的偶然，都是緣分作用的結果。所以千萬別把自己看成是什麼渣子，也有可能你是和道最有緣分的。」

無話不說無力地：「我沒有那些境界，對於我，很簡單，我就是爲了健康來到了這裡。」

道長：「這個也沒有錯，健康是我們修煉的第一步，道家是看重身體健康的，因爲沒有健康的身體，就不可能朝著生命更高的層次發展……」

無話不說：「道長，別再講說更高的層次了，就說我，能夠恢復健康嗎？」

道長：「當然能。」

無話不說：「即使不給我辟穀？」

道長：「有很多方法都能夠讓你恢復健康，關鍵是你的心能不能夠回到健康。心病了，健康都是假象或者表象……」

無話不說：「我沒有辦法在血糖指數這麼高的事實面前，心態健康地認爲，我明天就好了……」

道長笑：「我們講了這麼多天，聊了這麼多，你依舊沒有明白？我不理解同樣的一件事情，用科學的語言或者公式來表達，爲什麼你就認同？用我們古老的文明來解釋，你就不認同？你的病不是大問題……」

無話不說幾乎絕望：「糖尿病，全世界沒有辦法解決的病症，我這幾天的血糖指數都在十五以上，我每天都在猜測的是我會先壞腿呢，還是先壞眼睛……」

道長笑：「所以你並不了解——不了解世界，也不了解自己。你要放下你的習慣認爲，忘記你所謂的知識。從現象上來說，很簡單，你離開這裡的時候一定是健康的，但是你的心必須先調整好，而不是讓你盲目地認爲『明天就會好了』；從道理上講，質、能互換的科學結論，用來解釋我們的修行——這個關係其實現在被你們倒過來了，科學比我們古老的道文化要年輕四千五百多歲，但是大家接受年輕的科學，卻不接受古老的文化——人可以經過修煉達到另外一個生命狀態。就是說我們修煉的過程也是質、能轉換的過程，練功是很簡單的事情，不需要實驗室。當我們透過一步一證、我們進入了的時候就不怕了。我們的第一個境界並不複雜，當我們再練習第二個境界時，我們就知道了，哦，它原本如此。我們的入道是從基礎、基本開始的，並不是很複雜的事情，當我們能夠初步地去練精化氣的時候，就知道大面積的練精化氣也是能夠辦到的，因爲如果你在練功的時候能夠把手指甲蓋這麼一點變成能量化，消失不見了，你就會相信整個人也可以整體辦到。雖然你還沒有練到這個程度，但是你知道這是可能的……」

無話不說：「你讓我調心，就是讓我認同，但是我卻無法認同。白天練站樁，我沒有任何的感覺。然後我努力想像，像你說的，兩手間有氣在跑動，還是沒有。我就把這種氣的跑動想像成二環路上的汽車在跑，都是八十公里以上的速度，這才有一點感覺。道長，你說，我能夠相信我的這個感覺嗎？這是想像，完全是不可靠的心理作用……」

笑。所有人都不會把手掌間的氣感想像成爲北京二環路上的車流……

生的偉大：「那是你想錯地方了，怎麼可以想你們北京的二環路？那一定常常塞車，所以沒有氣感了，哈哈……」他閉上眼睛拉動兩手，氣他：「我不用想汽車就有，粘黏得不得了，完全就是像拉麵筋，哦喲，拉也拉不開……」

大家笑：「你也太誇張了……氣感當然有的，我們都有……」

道長：「要使身體出現眞氣，一個是放鬆，一個是入定。如果思想不入定，氣就升不起來。首先心要靜，越安靜下來，氣就越好。」

道長閉上眼睛。奇妙，一種清新的、安逸的、靜謐的氣氛，瞬間迎面而來。所有人都不由自主地跟著閉上眼睛，彷彿是一種非常舒服的需求……

道長：「我們把意識匯聚起來關注到我們身體的感應，感覺到我們的呼吸，呼——吸。它和我們的身體息息相關……把意識集中到自己的身體上。好，微微抬起我們的雙手，手輕輕地拉開。不是用你的力去拉開，而是感覺在拉，在拉動的時候手上會有感覺。我們只感覺到呼吸，在吸氣的時候手在慢慢地膨脹，在呼氣的時候雙手又在隱隱地縮攏，是氣從手裡跑出來了，像一部壓縮機一樣。呼——吸。感覺到手掌上有一種發熱、發脹、發麻的感覺嗎？呼吸與我們的手是連動的，用生物全息的理論來說，我們的呼吸和全身細胞的呼吸是同體的、同步的。呼——吸。體會用我們的手掌呼吸……」

「有了……」「我也有……」「挺重的呢……」

各種感受的聲音。

無話不說急促地：「和你說的完全不一樣！我沒有。」

道長：「你慢一點，別急。感覺：當手放在胸前的時候，吸氣的時候，就像我手指的毛孔隨著鼻子的吸氣是同步的。膨脹，縮攏，膨脹，縮攏……全身的氣都充滿了……」

我的手有發麻的感覺，手掌間就像抱了一顆透明、看不見的球，我輕輕在擠壓它，而它以一種難以名狀的韌勁反過來頂壓手掌，反覆……

我睜開眼睛。月光下，道長已經站立在無話不說的旁邊，做著與他一樣的動作，帶動著他練功。其他人有坐在原位的，也有站起來感覺的……

許久。無話不說突然閉著眼睛笑了：「有了，還眞的有，感覺到了！」

生的偉大：「不是汽車廢氣嗎？」

無話不說：「這次我想都沒想汽車……眞的有……」

道長：「感覺到了？不要放棄，再堅持……」

無話不說的雙手隨著「呼——吸」，做著的伸、拉動作。他閉著雙眼，安靜而寧和，與剛才的急躁、焦慮判若兩人……

這時，我看見道長周身都圍罩著一層淡淡的、卻是極其燦爛的金黃色，大約有兩個半釐米的寬度。這是三個小時以來又一次看到！我難以置信，轉頭向無話不說，他居然沒有！無話不說睜開眼睛，放下了手，看著道長：「行了，居然有氣感了！」

道長：「是的，每個人都有，你只是沒有體驗。如果你想要達到更多，只需要半年以上的時間就會有一個初步的、也是很明確的認識。你現在的身體裡面還沒有什麼能量團，經過半年的修行，會有一個很弱的能量從體內升起來。當你有這樣體驗的時候，再去想人是不是能夠徹底能量化，你肯定能夠理解、能夠相信了，因為你的體內已經有了啊。這個微弱的能量團可以順著我們的經絡走，能夠明顯感覺到。它就是順著經絡走，絕不會到其他地方去亂走。」

無話不說：「這個能量團是從哪裡來的？是我手掌的氣收集起來的？」

道長：「這個能量就是從你的身體裡面不斷地化出來的。當你可以不斷地轉化它的時候，你一定會相信，身體真的可以轉化成為能量。這個能量不斷地轉化，從小周天轉化成大周天，轉換到你頭頂可以『出去』的時候，你就知道，哦，元神出竅原來是從頭頂、打開天門就出去的，『我』，原來完全可以離開自己的肉體！這時證明你已經能量化了。其實這個並不複雜，當你相信，這個東西就很簡單。」

一人：「道長，練成小周天需要多久啊？不會像無話不說講的，要用畢生的時間吧？」

道長：「練成一個丹道周天，需要一兩年的時間；練成一個很強的能量團來通經絡，也就是半年多的時間，並不需要花那麼多的時間去證明，更不需要你花費畢生的精力！我說的還是中等程度的人，如果是悟性好的人就更快了，最笨最笨的人，也能在一年之內達到。當你相信能量化的時候，我們的心界就打開了，看待這一切就很簡單了，就不是你現在這樣的看法了。這就是我說的宇宙的實相。」

我忍不住報告道長，我看見的光暈，我懷疑那是不是間歇性的幻覺。

道長：「不是幻覺。你看見的是真的，你現在的狀態就很好。我們有一套功法是專門訓練『火眼金睛』，看人體光暈的。」道長看著我：「沒想到，你辟穀第一天就能夠看到了。」

我開心！但是說實話，即便是我親眼看見了，仍然還是在心裡將信將疑，依然懷疑是不是自己在騙自己？

道長：「現在還難受嗎？」

絲毫沒有了。我也覺得奇怪，已經完全忘了下午和傍晚的難受，好像那是一件發生在別人身上的事情。

道長將無話不說託付給了常月：「今天他有進步，明天可以開始給他治療了，要給他加大量，因爲他沒有辟穀，但是要同樣達到辟穀的治療效果。」

我看見月光下無話不說咧出滿口的白牙，開心地笑起來……

大家互道晚安，各自回房。

今天收穫很大。不說我的體驗、感受，就是聽道長說了這麼多的東西，就足以讓我回味、回味許久了……

在一樓走道，我遇到正在量體重的胖子。他喃喃自語：「輕得還挺快，比昨天的這個時候輕了二公斤……」

我俯身向數字：九十一．五公斤。

我站上體重計：五十三．五公斤，比昨天輕了一．五公斤。

胖子說他一天都沒有什麼特別的感覺，血壓還是偏高，一一〇／一五〇；下午的時候略有餓感，練了功之後，餓感完全消失，還揮了一會兒高爾夫球桿。

人和人，爲什麼有這麼大的不一樣呢？

15
辟穀的心靈收穫

我體會著我從來沒有去仔細想過的這些事情，就像我睜大著眼睛看我從來沒有這麼長時間看過的天空。天空像印到了我的心裡，心裡的往事像正在天空上飄過的雲。我平靜得居然連感激的心情都沒有，只是平靜，平靜，已經全面吞食掉我的平靜……

九月十八日。辟穀的第二天。

幾乎一夜沒睡。眞是前所未有的恐怖一夜……

大約是凌晨一點半，正略微地有些睏意了，心臟突然像開足了馬力，狂跳起來。剛開始我以爲是因爲想到了什麼激動人心的事情——一般情況下，大多會是因爲特別激動人心的事情即將發生，心臟才會這般地大動特動。但是我內心平平靜靜，已經準備睡覺了，什麼也沒有想。我不敢動彈，想按捺住驚慌，但是心臟還在用力地加速。我摸出手機測試：一分鐘已達一百三十下。

我像只被黑夜按倒在房間角落裡的「沙漏」，驚恐地聽夜越來越寧靜；夜色越來越深重，又緩緩、緩緩地淺白……一夜的光陰在我的驚恐之中「滴答」分秒經過。我想我萬不可能因爲「不具備常識」而「不朽」在這山上吧？

於是不由自主，一次次地想到醫院，想開門逃下山去。思緒反覆從「勇氣」、「體驗眞相」、「自我挑戰」縮回到起點：我到底是在幹什麼？是智慧？還是愚蠢？我才知道我只是一個渺小的、脆弱的人。我的習慣性認識，我的常規思維，在這個夜深人靜之夜絲毫沒有突破，沒有什麼「眞知灼見」，沒有與眾不同，在稍大一點的風吹草動面前，我一樣是魂不守定，膽戰心驚。

心臟狂跳，思緒亂轉。在自己幾乎沒有經歷過的恐懼面前，所有的道理、所謂的「明白」、陽光下的追求等等一切，都變得虛幻而遙遠。恐懼就是恐懼，除非現象本身消失，否則——白天距離我彷彿已經有十萬光年之久……我在夜裡睜大著眼睛（如果有其他生靈看見人類應該閉上眼睛睡覺的時候還有我這麼一個「類」是這樣一副神態，一定也是挺嚇人的），恐懼地「觀望」自己的小心臟像是被擂響的一面大鼓——萬一鼓點停止了怎麼辦？

臨近天亮的時候，又一件不可思議的事情發生了：突然之間的，雙眼熱淚長流。我驚異：是心裡的恐懼導致的嗎？導致什麼呢？我哭了？我沒有哭啊！雖然我的內心恐懼，但是有沒有哭我還是知道的，我只是很害怕，怎麼就淚流不止了？就是哭也沒有這麼多不可抑制的、不斷嘩嘩流淌的眼淚……

假使周圍有其他生靈，他們「看見」人的一個「類」這般景象，那是更加地駭人了……天終於亮了。

我終於強抑制住沒有開門逃去山下醫院，但是感覺比辟穀的第一天更加不舒服。測試心跳，已經降到每分鐘一一八次。眼淚不知道什麼時候自己停止了，眼睛沒有紅腫現象。有強烈的嘔吐感。在洗手間，在三天少食、斷食一天之後，竟然嘔吐了不少東西出來。又回到了昨天有氣無力的狀態，而且還添加了噁心。

勉強練了功，然後倒在床上，直到自己修完功課的常月進門來看我。常月已經被道長指定爲我這次辟穀的調理醫師，她焦慮地看著我，聽我斷斷續續地講述這一夜的恐怖。

我心裡充滿感激。任何一家醫院裡的任何一個醫生，都不可能有這樣關切的神情傾聽一個「病人」的述說，更不用說用這樣的耐心。我甚至覺得向自己信賴的人述說身體不舒服的過程，似乎也是一種治療，因爲在我不斷講我的恐懼之夜的狀況中，我的感覺似乎也在好起來。

常月提醒我：「昨天道長不是說你之後可能心臟會有很大反應嗎？因爲你那裡曾經有傷，你自身的眞氣就會攻擊那裡。」

是的，道長昨天確實說過不止一次，但是在驚恐的夜裡，我居然忘了。而我七歲的時候心臟確實受過外傷，外傷造成的後果是「心率過速，每分鐘一百三十八次」，以及人群恐懼症。心跳過速的毛病從那次事故之後開始，幾乎每年春天都會發作。有時過度疲勞或者季節變更，也會有心跳病的發作。

常月：「每個人在辟穀的時候遇到的症狀都是不一樣的。去年冬天有一個人辟穀，在五、六天以後肚子高高地鼓起來，到十幾天的時候鼓得都不行了，還發亮。我們看了都害怕，因爲我們從來沒有遇到過這樣的。」

我：「道長也害怕嗎？」

常月：「道長沒有，道長說沒有關係，這都是正常的，但是我們都沒有經歷過這種情況。」

我：「辟穀的人自己害怕嗎？」

常月：「害怕啊，什麼都沒有吃，怎麼肚子就鼓得那麼大？後來他開始嘔吐，吐了好幾天，肚子就慢慢平下去了。這個人後來告訴我們，他曾經得過肝病。就是他可能有早期肝癌，辟穀的時候自己身體的眞氣會攻擊身體有病的地方，這樣就治療了。」

我：「那我流淚不止是怎麼一回事？我也沒有什麼傷心的啊？」

常月：「可能與你近視有關。我的眼睛也不好，平時我練功的時候也是眼淚嘩嘩地流。」

是的，我的雙眼都有高度近視。流淚的時候眼珠還疼，眼眶也疼。

常月：「現在有什麼感覺呢？」

我：「無力感。和昨天的難受不一樣，頭不那麼疼了，但是覺得噁心，上午吐了好幾次。今天這種難受也和昨天一樣要到了夜裡才會好嗎？」我苦笑著問。

常月：「不一定，看你身體潛在病兆的情況，有長有短。昨天你也是一會兒一個狀況，一會兒一個情況的，都不一樣。你還有什麼感覺？」

我：「暈眩，老想躺著。」

常月：「那你一定也有神經衰弱症。你平時睡眠不好，還經常會暈眩吧？」

確實是，我的神經衰弱已經有十幾年了，安眠藥和治頭疼的止痛藥是我的常備藥。

常月：「神經衰弱的症狀在辟穀時很難受，說不出的難受，有些像暈車，有的人時間持續得長一些，有的人就短一點，不知道你神經衰弱的程度怎麼樣。不過一旦辟穀結束，你的那種暈眩、神經衰弱都會好了。」

我：「那我第二次來辟穀，這些症狀還會再來一次嗎？」

常月：「不一定。一個是看你保持得好不好；再來就是看你這個病嚴重的程度，如果一次辟穀還不能夠治癒它的話，第二次辟穀就還會再發作。第二次辟穀會接著從前一個階段開始，是繼續。」

我：「怎樣是保持得好？」

常月：「辟穀以後飲食有規律，作息時間正常，沒有讓身體造成其他附加的傷害，都屬於是保持的範圍。像暴飲暴食就不好。」

我用心聽著。常月看著我：

「我們去院子裡吧，那裡有陽光，你應該多接接地氣……」

這一次常月幾乎是強行地將我拉到小草芳香的院子裡。

我一秒鐘都沒有耽擱，立刻躺倒在草地上。

天空依然藍湛湛的。因爲空氣潔淨，陽光特別的燦爛。古老的軒轅黃帝修煉得道的山頂洞穴就在我一抬頭能夠看到的前方。我看一會兒軒轅黃帝幾千年前的修煉洞穴，翻過身來在他的幾千年之後哇哇嘔吐。天空爲證，我們在做的是同一件事情，無非他得道了，而我還在嘔吐的途中……

隨身的塑膠袋轉眼就不夠用了。眞出乎我的意料，居然吐出了那麼多顏色古怪的水！這點「五彩斑斕」吐得我暈頭轉向，世界變色！

常月一直陪在我身邊，在我稍微穩定一些的時候，她盤腿打坐，開始給我的胃部發功。也分不清是功效，還是心理作用，反正也是一點點好了起來。人不舒服的時候自覺像一塊揉皺了的布，只有略略地好起來，才覺得在草地上躺得平穩了，躺得整齊了。

頭腦開始白天的思維：眞的是眞氣開始攻擊自己身體隱藏的病症了？什麼也不吃，反而有眞氣了？自己有這麼多種的病狀在發作出來？

原本我好好的一個人，這才是辟穀的第二天，已經成了一個難以行走的病人！

同時也在辟穀的香港盧先生正慢慢走來。他已經辟穀十二天，每天還出山門上山散步，估計此時正散步歸來。

盧先生笑著站在我身邊：「你很辛苦啊！不要害怕，都是這樣的。」

我：「你沒有這樣啊，你還可以出門散步，你看，他也很好……」我指了指離我不遠處的胖子，他到現在幾乎什麼反應也沒有，此時正握著一支球桿，在陽光草地上揮來揮去，滿頭是汗。

盧先生笑：「他還沒到時候。我也吐了，只是你沒有看見罷了。現在我已經是第二次辟穀了，第一次是在今年的年初，當時就是嘔吐，和你現在一樣，很可怕；現在第二次，我以爲會好一點，結果一樣，還是想嘔吐，就是這次自己嘔吐不出來了，我就喝大量的開水，結果連膽汁都吐出來了！我相信這是一個正常的過程。」

我：「你爲什麼不到一年就又來辟穀了呢？」

盧先生：「我的腸子不好，有早期癌症的可能。現在辟穀十幾天了我還有大便，我挺擔心自己……」

我說，這次辟穀這麼難受，我絕不會很快辟穀第二次的，「完全像一場大病，但是前天我還什麼事兒都沒有，上山下山的……」

盧先生搖頭：「你覺得你沒事是假象。而且我深深知道我們現在的幸福，我們是有福的人。兩年前我親眼看見我的一個朋友死於腸癌，太可怕了，最後階段也是什麼都不能吃，最後是餓死的。我們辟穀是很難受，但是前途非常光明，無非難受二十幾天，然後我什麼東西都可以吃了，想到這點我就心花怒放！」

我：「你這次辟穀就是二十一天了？」

盧先生：「我第一次辟穀也是二十一天，這些都是師父決定的（他們稱道長『師父』）。我的問題很大，第一次二十一天也不能夠根本解決問題，所以才九個月之後，就第二次辟穀。」

我：「就是你腸子不好的原因嗎？」

盧先生：「也不完全是。我的心臟還有問題。我以前心臟動過一次手術，一直在吃西藥，但是吃藥很不舒服，我覺得長此以往不是一個好辦法。這次辟穀，心臟也是很不舒服，像發作了一次心臟病……」

我好奇：「你怎麼知道這裡的？朋友介紹的嗎？」

盧先生：「一年多前我在香港遇到了師父，我們有緣啊，見面就聊了很多。當時我和太太就商量了，決定辟穀。第一次是我們兩個人一起辟穀，她辟穀十五天，我二十一天。」

我：「第一次辟穀結束後有什麼變化呢？」

盧先生：「我太太的狀態非常好，以前她睡得很多，現在六個小時就可以了，精力很旺盛。我變得很瘦了，瘦了幾十公斤。」

我：「精力呢？體力呢？是不是比以前好多了？」

盧先生：「不要以爲辟穀結束體力就會很好，不是的，要慢慢地恢復。我在一個月之後才基本上完全正常。而且回到家裡還要持續練功。就練導引術和站樁，尤其是站樁，對我很重要。」

我想起自己白天、黑夜的反覆：「你一聽說辟穀就相信了嗎？以前知道嗎？第一次辟穀也沒有後悔、害怕過嗎？」

盧先生：「以前模模糊糊知道一點，聽說過，也在書裡看到過，但是自己經歷了是完全的不一樣，太神奇了！辟穀不可想像。沒有想到眞的有這種奇妙的事情！第一次辟穀結束，我二十一天沒有吃東西啊，回到香港，我的朋友們都不相信。如果是我聽說了這個事情，我也不會相信，因為這個太不符合科學精神了，但是我自己經歷了，我心服口服！」

心裡的恐懼又襲來了：「我心跳得太快，很難受。我有些害怕，不會有什麼危險吧？」

盧先生：「不會有危險，師父是有把握的，如果有危險也不會讓我們這麼做。這都幾千年的經驗了。我開始的時候，在床上轉個身都難受。我的心臟不好，所以更加難受，心跳得好快好快。我和太太就相互安慰。我們也害怕，也不斷地問大師，現在知道這都是正常的反應。」

我：「你難受的過程持續了多久？」

盧先生：「大約有四、五天吧。期間我還天天拉肚子。我覺得非常奇怪，我都沒有吃東西了，還拉肚子。這個印證了師父在最初給我檢查的時候和我說過，我的腸胃有很大問題。我自己一直不知道。如果我沒有透過這個辟穀，可能就會腸癌發作。並不是現在，而是在三年，或者五年、十年之後。所以拉肚子是在排掉，這麼多天不吃東西，拉出來的是多年的積累啊，很黑色的東西。對我來講，辟穀絕對徹底解決了我的問題、潛在的健康問題。第一次辟穀之後我就不吃藥了，到現在都不吃。」

我：「心臟病的藥也不吃了？」

盧先生：「不吃了。中國的傳統文化很奇妙！這是上天給我的一次機會！我第二次辟穀，心裡也是有壓力的，害怕和上次一樣那麼難受。但是任何事情的得到，都要付出代價，這個道理我明白。我爲了身體健康，也爲了得到心靈的智慧，再害怕也願意。現在沒有這種感覺了，今天已經第十二天，我的困難時候已經過了。還是代價少，得到的多。如果我沒有這個辟穀的機會，就和所有身體不好的人一樣，一個月看醫生幾次，每次給我多少藥。」

我：「你也是相信醫生的吧？」

盧先生：「我一直相信啊，但是我看到他們對我一點辦法也沒有，我知道他們幫不了我。醫生再好，也沒有最終解決問題的方法。我現在打算活九十歲，呵呵，因爲我不會有機會得癌症了，我還有什麼可害怕的？心臟病也沒有了，就剩長壽。」

我輕嘆一口氣。我的脆弱……

盧先生：「我要上去練功了。你不要害怕，你現在的辛苦眞的算不了什麼，我那個得了癌症的朋友……你見過末期癌症的病人嗎？太慘了！什麼都不能吃，難受得太厲害了，沒有未來。我們辟穀是換取未來的幸福！現在我可以和你談話，可以散步，可以去放生，什麼都可以做，太幸福了！而且二十一天結束之後，我什麼都可以吃，只要慢慢來！呵呵……」

盧先生回房間練功去了。之後常月見我比較正常了，也去吃午飯、練功了。仙友們去吃飯，又吃飯回來，我對著他們搖手，不讓他們過來。我沒有精力說話，而且我好像非常想就自己這麼躺著看天。

從來沒有這麼長時間地仰望天空。天的藍，雲的白，風兒輕輕地吹動……多少事情就像天上一堆一堆飄去的雲，從心底湧現，飄飄蕩蕩飛浮而去。心靜靜的，不起伏，也不牽動。這也是辟穀的一種反應嗎？我不知道。心，太平靜了，眞的像鏡子，只是反射天空，自己什麼也沒有。我故意去挑選平時會非常刺激我的一些記憶，但是那些曾經讓我不得安寧的事情、讓我難以忘記的人，都變得平穩而親切——無情一點說，都變得像飄浮而過的白雲，似乎可以有他們，也可以無他們，沒有喜歡，也沒有不喜歡，就是雲朵從眼前掠過，然後又是沉靜的藍天，又是下一朵雲。小心臟也不再擂鼓，自己一下一下平和地跳動著，像是告訴我，世界，所有，只是我的感覺。一切的客觀都是因爲主觀。於是我稍稍聯想了一下，總結了一下：激動，可能不是因爲哪個事情、哪個人而激動，是因爲我自己的心激動了；我悲觀，不是因爲那個人、那個事情很悲觀，而是我的心感覺悲觀了……如果我的心健康平穩地跳動，這個世界就是健康而平穩的；我快樂，這個世界就會是快樂的。

我體會著我從來沒有去仔細想過的這些事情，就像我睜大著眼睛看我從來沒有這麼長時間看過的天空。天空像印到了我的心裡，心裡的往事像正在天空上飄過的雲。我平靜得居然連感激的心情都沒有，只是平靜，平靜，已經全面呑食掉我的平靜……

這算是辟穀的心靈收穫嗎？我不能肯定。從中午，經過下午，我一直躺到太陽偏西。從草地的這一頭，到那一頭，根據太陽的移動，選擇有陽光的地方。

但是有一點能夠肯定：我這個很容易激動的人，從來沒有這麼的寧靜，這麼的心境平和過……

16
電療

她將電線插到牆上的插座，然後地線火線，我捏一頭，她捏一頭。她和道長一樣，可以根據我皮膚的刺痛感，透過意念改變電流的大小。電流通過她的手指，好像能夠聽懂我的話語，從強烈的刺激，到微弱的溫熱，十分神奇。

在我躺在草地上，從這頭挪到那頭的間歇，道長也時而過來看一眼，微笑著留下「很好」、「排毒很快」諸如此般的話，轉眼又消失。

大地，穩穩地、厚實地托著我，讓我體會從來沒有過的依靠，彷彿有力量從大地的深處緩緩而出，無言地、不斷地注入我的體內。天空，高遠而慈愛地俯身在我睜眼就看到的上方，無限無限的寬容，無限無限的慈悲，允許著一切都在發生，安慰這一切都這樣發生。眞的是天地無私，當我們無奈之中只有託付的時候，天地全盤接受，我們小小、有限的身體，由此依靠到那麼堅實而無限的信賴、依靠。非人力可以比擬，非人可以參照。自然得就似春風一度，萬葉含苞，細雨瀟瀟，生命滋潤。踏實，自然，「必然」到感激之心都無處生長，只需要去接受，只需要去完全的依靠……也許非遭遇極限，就難以體會天地這樣的寬厚、無私？也許是只有遭遇了極限，我們才眞正地有可能做到放下小小的自己，託付天地，依靠天地，感受到天與地？

我那極端難受和無比幸福的幾個小時，與天地共存。那樣的感受，在辟穀結束之後，再難以完全地感受到。有可能是小小的我，混跡於世俗，又糊里糊塗地以世間喜怒哀樂之準則，霸占了我的心靈……

太陽偏西的時候，常月在草地一側找到了我。她笑嘻嘻看著我，說接了半天的地氣，現在要接受治療了，便將我弄到治療室。

躺在治療室的小床上，感受立刻就變了。我才知道，再舒服的床，都不能夠與大地相比擬；再大的情懷，都不能夠與天空的慈悲相比擬。當時那種強烈的不對稱感，就像……我失去了比喻。

常月站在我面前。以她，一個有限的人，開始全力以赴地、盡心地對我治療。我瞬間感受到了，她的全部、她的善良、她的盡己所有，心底的感激，似潮般的湧動。人與人，有感激，有七情，而人與天地，居然連感激之情都生不出來——天地不讓你滋生，無情無欲，只有接受和坦蕩。那是多大的情與義啊……

常月閉目，運氣。頃刻，來自她雙手間的那團熱氣又鑽入了我的腹間，我的身體像放入到了一團溫水裡面，在小小的治療床上，舒展開來……

也許二十分鐘，也許半個小時？我感覺到腹部的那團熱氣離開了。睜開眼睛，看見常月正在擺弄電線。

常月：「今天要開始用電幫你疏通經絡，你不會怕吧？」

我想起道長用電線給我們檢查身體，還是有點怕，我可笑地疑慮：「你們都能夠控制電嗎？會不會控制不住了？」

常月笑：「不會的，你不用擔心。」

她將電線插到牆上的插座，然後地線火線，我捏一頭，她捏一頭。緊張和害怕依然在，但是在接通電的瞬間之後，恐懼還沒有成型就消散了。她和道長一樣，可以根據我皮膚的刺痛感，透過意念改變電流的大小。我說「強了……好，可以，就這樣……」的瞬間，電流通過她的手指，好像能夠聽懂我的話語，從強烈的刺激，到微弱的溫熱，十分神奇。

她的食指在我胃部緩緩地滑動，我能夠清晰地聽到她食指與我的皮膚接觸、畫著圈圈時，電流發出「嗡嗡」的聲音。

我：「爲什麼從這裡開始？」

常月：「你不是吐了一天嗎？你的胃有問題。然後我們治療頭部……」

很快，我睡著了……

＊＊＊

從治療室出來，天色已經灰蒙。我有點遺憾地看了一眼天空，天空還在，藍天卻去了地球那一端了。好在周而復始，明天就會回來。

經過治療，我又可以正常地走路了。在小門廳遇到道長，道長仔細看我一眼：「感覺怎麼樣？」

我微笑，點頭，有點一言難盡的意思。我想起中午他過去草地上看我的時候我問他，「我會不會死掉？」內心羞愧……

道長笑：「不害怕了吧？你就是在進行自我的調整。我們身體自身都有能力來治療我們自己，前提是身體一定要有一個好的內環境。你們現在就是在清理、創造出一個好的身體環境，給身體一個全面排毒的機會。」

我：「那是排山倒海啊……」

道長：「是啊，使用了幾十年的身體，從來沒有全面清潔過。排毒是個重要的事情，這是近來被大家熟識、了解的話題，現在有很多商業活動、廣告也都是有關排毒的，像水療法、灌腸排毒、養顏、清腸，都在講排毒，好像全世界掀起了一股排毒浪潮。而辟穀，是最古老、全面而徹底的方法，而且不損害身體。」

我沒有去餐廳。聞到飯菜的香味，還是有噁心的感覺。可能是我的胃有問題，但是不嘔吐了。所有辟穀的人都去了餐廳，這也是道長要求的，可能是要接受意志的錘鍊？我不知道。我回房間練了辟穀功，好像精力又好一些。

草地上又集聚了所有的仙友們。只有道長不在，據說是山下紹龍觀有事，道長今晚在那兒。生的偉大看著我，笑：「你好像好多了！是不是偷吃東西了！」

我也笑：「你怎麼知道！剛偷吃了晚飯！」

生的偉大哈哈：「我就知道！剛才無話不說就偷吃我們的東西！」

我好奇：「他已經不能夠隨便吃東西了嗎？他偷吃什麼？」

三天前，爲了達到辟穀的目的，無話不說自己完全停止了糖尿病的藥，「吃死了算」，他這樣示威給道長看。昨天半夜道長才決定讓他今天開始接受治療，難道就禁食了？

生的偉大：「他搶我們的帶魚和牛肉吃！哈哈！太猛了……」

我：「道長說他什麼也不能吃了嗎？」

生的偉大：「哪裡！在我看來幾乎沒有控制，還是這麼大的一個盤，裡面有五個菜！但是他依然不夠，依然到我們的桌子上來吃帶魚和牛肉。偷吃了很多！」生的偉大笑得不行！

旁邊人也笑：「怎麼沒有人監督他？你也不管他？」

生的偉大：「監視有用嗎？我們只有改變思路：我要看看道是怎麼證道的！」

「效果還是不錯的。我很感激生的偉大袖手旁觀，這樣他讓我覺得很有人的尊嚴！」無話不說面露得意地出現在我們身邊。

生的偉大哈哈大笑。

無話不說：「如果連吃飯都要被人管，那就活成一隻小動物了！而且，哥們兒三天不吃藥了，今兒還來一頓有尊嚴的晚餐，飯後測試，今天血糖是七．三。」他自豪地使用了一下牙籤，抬了一下眉毛，宣布。

很驚訝。今天他才是治療的第一天，沒有吃藥，還大吃一頓，血糖已經降到七．三了，而且還是在飯後。

所有人都和我一樣，非常震驚地看著他。再耳染目睹，再親眼所見，震驚還是不排除在這之外的正常心理反應。

無話不說：「道在證道。你說的沒錯。你們的旁觀非常有價值。我治療去了。我重新認識了自己，我發現我比誰都有悟性！這起碼是個良性意識。」

常月呵呵笑著跟隨而去。她現在也是無話不說的調理醫師。

我問生的偉大：「現在你相信一點沒有？」

生的偉大聳聳肩：「科學也沒有錯，就是還很年輕，還在長大。我正在搞清楚科學現在到底有多小！」

我：「我相信道長說的，我們感知到的這個世界不是一個眞相的世界。這個世界怎麼可能只有七色？五味？人的感知是有限的，因爲我們只有五官、七竅、兩隻手兩隻腳，這些侷限了我們的認識。」

生的偉大：「科學也知道世界不是這個樣子。樹是無色的，光譜包含了所有的顏色，大部分的樹葉因爲唯獨不能吸收綠色所以將綠色反射了出來，成了綠樹。像天空、空氣也是五色的，但是因爲海是藍色的，天空反射了海的藍色而成了藍。還有我們聽到的聲音，聲音是全頻率的，但是我們的耳朵只能夠接受到其中的一點點，比這『一點點』高的叫超聲波，比這『一點點』低的叫次音波，那些聲音我們都聽不到。光也是全頻率的，但是我們的眼睛只能夠看到其中的一部分，比這一部分頻率低的叫紅外線，因爲紅色是我們能夠接收到的顏色裡面頻率最低的；比這一部分高的叫紫外線，因爲赤橙黃綠青藍紫，高過紫以外的光，紫外線是我們看不到的。科學也在證實我們看到的世界並不是世界的本相。」

我無語。辟穀期間大腦經受清理，雖然感受能力很強烈，思維能力卻很低弱。我明知心裡有話要說，卻啞口在那，接不上。

一人：「科學只找到現象，但是沒有找到本質。不但是光和聲音，我們也被速度遮擋住了，太快速和太慢速都遮擋我們了解另一些事實的眞相。」

是的，如果有一列火車從眼前經過，我們完全看不清火車裡面的人和物，那比火車快得多的存在從我們眼前經過呢？可能我們連這樣的「火車」本身都看不見。或者我們自己就是比「火車」快得多的生命呢？那我們就是比較高級的生命了，像我們在火車上看速度相對慢的車窗外，我們還是看得清一些情景的，除非車外的東西距離車窗太近。我們生命的呈現也許確實是被限定在一種速度裡面。我們人所處、所適應的速度，是與我們感覺到的時間有關係的，時間與速度所構成的空間，就像一面堅硬又厚重的牆，將我們擋在習慣的視覺和知覺裡面。而修煉，我猜想是經過修煉途徑可以略微地穿透這種厚重的遮擋，看到一點眞相……

我的思緒「語無倫次」地倒騰起來，翩躚起來……

生的偉大：「我這樣想，你們經過修煉參透，我來經過科學參透。但是我跟你說，如果現在全世界人都在修煉，而只有一小部分人在嘗試科學，飛機只有幾個人知道，然後我們把人引導到飛機上，讓飛機起飛，一個小時後到了他們需要走三個月或者更長時間的地方，這樣的震撼不亞於你們現在聽到道長說的這些話的震撼……」

我：「技術的震撼與心靈的震撼並不是一回事。」

另一人：「我們並沒有被道長的術震撼，如果道長有震撼我們的術，我相信也不會比科學告訴我們宇宙、地球、海洋這些知識有震撼力。」

生的偉大：「好吧，你透過辟穀尋找知識和眞相，我透過你們的辟穀尋找科學的依據。」

＊　＊　＊

這一晚是中秋節，道長有不少朋友和事情要應酬，估計不會早回。我們自己坐在月光下聊天，吃小茶几上的零食、月餅、水果，唯有辟穀的人做月下神仙，除了開水，任何不沾。因為沒有道長參加，才過九點，大家就零零散散地散了。我居然有了想看書的念頭，眞是好兆頭。

這一天的最後一個程序：我站到磅秤上，五十一公斤，比昨天又輕了二・五公斤。

17
辟穀第三天

昨天前天，身體彷彿經歷了夏季的颱風，雖然四處還是一片風過後的狼藉，但是那「嚇人的風」沒有了，過去了，風平浪靜了。真是一個大好的兆頭，原以為那種糟糕的情景會持續很久……

辟穀第三天，感覺開始好起來。

昨天前天，身體彷彿經歷了夏季的颱風，雖然四處還是一片風過後的狼藉，但是那「嚇人的風」沒有了，過去了，風平浪靜了。真是一個大好的兆頭，原以爲那種糟糕的情景會持續很久……早晨起床後照例地沖洗冷水澡。這個「洗冷水澡」的口令讓我害怕，九月中旬的山上，晚上白天都需要穿毛衣了，但是居然如道長所說，辟穀期間洗冷水澡並不會覺得冷，這難道也可以歸屬於心理作用嗎？心理一作用就可以改變皮膚對冷水的感覺？這個「不冷」的感覺還可以持續這麼多天？

然後練三套功，之後去三樓的小露台洗衣服。兩天的衣服沒有洗，昨天還在地上東倒西歪，今天又和沒事人一樣了，這種變化眞奇怪。洗完的衣服晾滿了一條繩，相當有成就感。

之後居然又在一樓的飯廳打了一會兒乒乓球。道長說要多運動。

眞是感覺好多了。然後又坐到門口的草地上，繼續看天，看飄過的雲，看山頂被雜草掩映了的軒轅黃帝的山洞，看門口排著隊「嘎嘎」走過的鴨子。不由自主長久長久地看，好像這些都是以前沒有看到過的。

爲這次辟穀準備，我帶來了一箱子的書和電影光碟。原來心想，這漫長的、很可能無所事事的十五天啊，神仙一樣的日子不就是不爲柴米油鹽所累——連吃飯的一日三餐都取消了，天天就剩下看書、看影片的逍遙了。居然，既不想看書，也不想看電影，只是想就這麼待著，看天看雲看山看水看小草。我這麼老遠背來的書和光碟，好像是多餘了。

中午做午飯功的時候，幾天來一直乾澀的嘴裡，從舌根下面湧出了涼絲絲的唾液！下午和大家做導引術的時候，右耳出現很重的耳鳴，像游泳的時候耳朵進了水，轟鳴著，將世間的聲音隔閡得遙遠。這樣子持續了有十多分鐘。

下午三點常月爲我做調理，依然是用二二〇伏特的電，我拿地線，她拿火線。今天已經是「一而再、再而三」徹底不害怕了，不會再有「會不會控制不好觸電」這樣的可怕擔憂。但是在治療中，我還是很好奇地問了常月：「常月，我們說話，會妨礙治療嗎？」

常月：「不會的。」

我：「你會不會因爲說話走神，而對二二〇伏特失控了呢？會不會萬一出現危險？」

常月笑著搖頭：「不會的，我控制著。」

我：「你用什麼控制呢？用念頭就能夠控制？」

常月：「用意識。平時我們練功，就是訓練對於意識的把握控制，就是意念。」

我琢磨。

我：「我們也能夠有嗎？」

常月：「經過修煉就能夠有，而平時我們只是簡單的思想，沒有力，也沒有作用。」

我：「透過修煉，也就是練功，可以讓思想產生力？」

常月：「是，思維是可以產生力量的。這個力量就可以幫助我們控制電，在我們功的作用下根據你們的情況，疏導你們的身體。你有輕重不同的感覺。」

我：「有。不過電可以這樣被人的意念控制，太不可思議了！」

常月：「如果你們修煉到一定狀況，在正確的方法指導下也是可以的。任何人都可以練成。但是——」常月呵呵笑起來：「你們千萬不要自己去試啊，電遠不是你們知道的、了解的那樣。」

我：「現在醫院也有很多可以控制電流的治療儀器，是同樣的道理嗎？」

常月：「基本上是。機器調整到低壓的時候，人人都可以來操作，幫助治療，但是效果就不會像我們手拿電線、靠人的意志控制這麼好。我們與機器的不同是，我們用人的意念。」

我：「同樣是電，爲什麼用機器的效果就沒有用人的控制好呢？導入到身體裡面，不都是一樣嗎？」

常月：「不一樣，因爲人是有思維、有意識、有感情的……」

這讓我奇異地聯想到機器包的餃子，和自己家人手包餃子味道的不同。一切機器成批量產的食品，與家裡、店裡手工製作食品的不同。滋味的不同，微妙卻明確，彷彿人的情感本身就能夠直接調味……

常月：「當我和你們接觸，電產生迴路的時候，我們就像一條河流，你的生命訊息和我的生命訊息交融在一起，透過這根電線，匯合成一個循環往復、流動著的水流一般的狀態，我的生命訊息就進入了你的身體，你的生命訊息則進入了我的身體。因爲我經常鍛鍊，所以在意念的調控之下，我的健康，或者是一種良性的訊息就進入了你們的身體，這就是我們的調理、治療。而機器做不到這樣，機器沒有感情啊。」

是的。還有，必須建立在治療之中的信任上。

我：「你說的生命訊息，具體地說是什麼？」

常月：「可以理解爲一種良性的能量。我們相信萬物都是能夠相通的，因爲我們知道萬物都有氣，有資訊。那氣是什麼呢？就是一種能量。」

我：「事實上，我並沒有生病，只是因爲沒有吃東西，所以沒力氣。你爲我進行的調理，目的和作用是什麼呢？」

常月：「我在幫助扶持你身體自己的力量。也許應該這樣來看，無論是平時你們看的西醫、吃的藥，或者是我們現在這樣的調理，它都是一個外因，其作用按照現在的說法，就是調動我們體內自身的免疫能力；依照我們的說法就是調動我們的潛能。因爲人體本身都有自我調節的功能，它是一個非常精密的儀器，有自我恢復健康的功能，但是這種功能被我們後天的生活習氣，或者說是後天形成的觀念、認知等等所掩蓋。我們平時的藥物、西醫打針等等，實際上也是爲了促使身體自己恢復健康，只是那種方法比較粗暴而已。像我們現在的這種補氣、發功的方法，不對你們的身體強行干預，而是讓你們的身體在放鬆的同時，協助你們把身體內在的潛能調動出來，喚醒你們內在的生命潛力。」

我：「也根本不用透過我的意識？因爲你讓我睡著都行？」

常月：「對，不用。因爲你們主觀的意識有時候會起反作用。你們的任何一點懷疑、思慮，在這個時候都有可能成爲阻礙。人的意識是相當厲害的，是你們不了解罷了，所以睡著最好。你們並不了解自己的身體。我爲無話不說治療的時候，他也問我，爲什麼不用他加意念？」

我呵呵笑起來。我了解無話不說的那股勁頭。很多時候他都認爲他是天下第一，哪怕得了糖尿病，他還想動用自己的意念呢！

我：「他要是用意念幫你，可能你就控制不了電壓了吧？」

常月笑：「那倒不會。我和無話不說講，在治療的時候你最好不要有任何想法，你現在還沒法接受，你認爲的東西很可能本身就是障礙。人的內心都是很頑強的，尤其當這個人認定了一些什麼的時候，不用你的心去使勁，它自己就是阻力。所以在你們睡著之後，你們的主觀意識也完全沉睡了，內心沒有一股力量在抵抗了，我們的方法就是利用你的潛能完全在我的治療下和我的能量融爲一體，你就在我意念的引導下讓你的潛能發揮作用，讓你逐漸恢復健康。」

太神了。人的意識還有這樣幫倒忙的時候。我想像頭腦的入睡，身體依靠本能協助外力（功力）自我調整的微妙。也許就是像藍天飄過白雲、大地長出小草這麼的樸實而簡單乃至平常。而人力，比如說思維的結果，就是弄出了花園，假山假水（人工循環水），甚至更爲可怕的塑膠花草……自然不盡在天空風雨山野，也在我們人身體本身。我們能夠知曉多少呢？

我：「有多少時候，人的思維和認知，對於自己身體的幫助，反而是有妨礙的？」

常月笑：「我覺得是太多時候了。當一個人自以爲是的時候，面對自己常識之外的東西內心有疑問、有抗拒的時候，基本上都是。你看動物都有生命自我調整的能力，牠們沒有醫生給牠們看病，但是牠們生了病之後自己知道該怎麼做。」

是。沒有聽說哪一種野生動物因癌症而死，或者……也許可能有，只是我們不知道？但是總沒有像人類的惡性疾病，幾個人中就有一例那麼普遍。

我：「人生存狀況表面的繁榮、現代化，實則每況愈下——如果眞的好，人的壽命、健康狀況就不會出現這麼多的問題，這是不是與受到後天知識、觀念的影響有很大關係？」

常月：「我自己覺得就與我們的身體、健康有著直接關係的醫學，我們後天接觸的觀念與知識，與實際、本質的，已經有很大的方向性偏離。」

我：「很多人不喜歡西醫，但是西醫仍解決了很多實際的問題。你的看法呢？」

常月：「醫學，包括中醫和西醫的各個學科，臨床的建立和藥物學等等，當然有好的一面，但是從另一個角度來講，它們又是粗暴地干預了身體本身的潛能。西醫最大的不好是它建立了人錯誤地面對自己身體的概念。其實有很多生活中的現象被我們忽視了。爲什麼鄉下的孩子普遍來說都比都市的孩子健康？簡單說，就是因爲很多小事他們不在乎。鄉下的孩子也在乎不起，這反而幫了他們。還有一些貧困地區的人，比方說住在山裡的人，他們因爲沒有條件可以常常去醫院、吃藥，反而普遍的沒有都市人那麼多的毛病，長壽的人也多在那些地方。而住在都市裡的人呢，太有條件去醫院看醫生了，體質反而不行了。」

我：「你是說我們對自己的身體太大驚小怪了？」

常月：「對，太在意了。當我們的身體正準備自我調節的時候，那種外來的干預就過早地把天生的一種自我免疫、自我調整恢復的功能扼殺了，讓它陷入了沉睡。」

我知道。比如說感冒，感冒在很大程度上是在幫助身體自我調節，完善自我功能。一個連感冒都不常有的人，很容易就會爲一個病症擊垮。生活中的實例比比皆是。

我：「那我們已經被扼殺，或者沉睡了那麼久的自我調節、免疫能力，在你們這裡短短幾天，就能夠得到喚醒和恢復嗎？」

常月：「所以你們要放鬆。『相信』是一種放鬆，睡覺也是一種放鬆。能夠在別人，尤其在一個幾乎陌生的人面前睡著，內心絕對是很徹底的放鬆。我們爲你們治療的時候總是跟你們說要放鬆，如果你們不懂得放鬆，那就睡著，最簡單了。在這段時間內，你們的潛能在我的調整下會發生作用。」

我：「如果我們沒有放鬆，依舊有疑慮，有對抗，或者是假裝睡著，實則觀察你的所作所爲，心裡嘀嘀咕咕，你會有感覺嗎？」

常月笑：「有啊。在我給你們做調理的時候，你們的身體和我是有聯繫的，如果依照我的要求，從心理上是配合的，我會感覺到一種柔和、舒暢和渾然一體。如果你們心裡不相信，或者有對抗，哪怕你們什麼也不說，什麼也不問，也閉著眼睛假裝睡著，我也是感覺得到的，我的心情就會無端地煩躁起來。其實這種不協調的感覺，你們也都會有，一般生活中都會出現，內心突然煩躁，心理狀態失調。那樣，我就會始終進不了狀態，手上也沒有什麼感覺，因爲人的氣息是相通的。」

我：「給我治療的時候是一種什麼樣的感覺呢？」

常月：「挺好的，很柔和的感覺。」

像常月說的一樣，我心裡也很柔和，很舒坦，像春天站在樹林、田野，內心通暢而芳香。我們氣脈相合。

18

全面排毒，清除隱患

道長：「我們的辟穀，驅除的是整體生命的毒素，沉積在我們整個身體、生命裡面的毒素，既有身體方面的，還有思想方面的，包括代謝毒素、食物毒素、藥物毒素等等。」

常月爲我做著調理，正聊著身體的配合與感受，推門進來一個女孩，同樣端莊秀美，高高個子，同樣挽著頭髮。

常月：「這是我妹妹，常止。」

我驚訝地看著與常月同樣秀美的妹妹：「是在四川大學讀書的妹妹嗎？」

妹妹笑了：「現在已經不是了。原先在四川師範大學教育系，現在在這裡讀道學院了！」

妹妹接過了我手裡的電線：「我來幫你。」

於是，妹妹拿著電線，姐姐常月繼續用電疏通我的經絡。

我再次疑問：「我們這樣聊天會有妨礙嗎？會不會影響調理的效果？」

常月笑：「不會。這樣聊天是很放鬆的。」

那我就繼續聊。我好奇這個漂亮的妹妹：「放棄四川師範大學要有很大的決心啊，你沒有後悔嗎？」

妹妹：「不會後悔。這也是緣分。我看我姐姐這樣選擇的時候，我還不是很理解，我是來勸她回去城市的。」常止笑：「但是來到這裡，見到道長之後，我完全清楚我這一生應該做什麼了。」

我調侃：「當時覺悟就這麼高啊……」

常止：「也不是。當時我還沒有現在這樣比較清晰和深刻的理解，也沒有什麼修煉的目標，只是覺得對這個事情很感興趣，也很符合自己，而且確實能夠給自己帶來切身的好處，也能夠給周圍的人帶來好處。目標是現在才明確了的，想要找一些生命的答案。老師教了我們很多。」

我：「老師？」

常月：「就是道長。」

我：「你剛才說現在在道學院學習了？學哪些課程呢？」

妹妹：「老師創辦了道學院，就在下面啊，還在建設，不過我們已經開始學習了，有電腦課，有經文課，還有做法事的課程。」機靈的常止看到我疑惑的表情：「一般的法事，像祈福、度亡──超度死亡的，這些。還有早晚課的一些唱誦。」

我：「這些課程都是道長給你們講課嗎？」

常月：「不完全是，請來了一些有經驗的老師和道長。像這幾天學的做法事，請的是上海的一個老道長，教我們做法事之前的吃齋，沐浴熏香，保持自己身心潔淨的狀態。還有特有的符咒……」

我想了一想，決定用最直白、最八卦的方式提問心裡長久的疑問：「你們覺得眞的有陰間、有魂、有鬼嗎？」

妹妹非常平淡地：「嗯，我們當然認爲有。」

我：「是你們認爲有，還是你們經歷過有？」

妹妹：「經過一段時間練功之後，你就可以看到。一些魂靈之類的東西，都可以看到，也可以感覺到。」

我不依不饒：「你看到過嗎？」

妹妹：「我的功力還不能夠看到，但是我感覺到過，有。」

我：「感覺，那就很難說了。什麼感覺呢？」

常月笑：「你現在接受治療的感覺怎麼樣？感覺是很重要的體驗，不是很難說的。」

妹妹：「我感覺到『有』的時候，是一種很陰森的感覺，突然之間會有與平時完全不一樣的感覺。」

（我想起北京的一個朋友不久前和我講到他的一些經歷。眞是奇特，但是就像辟穀，除非我自己也經歷了，否則還是有「宣傳迷信」的嫌疑，呵……有一點我堅信：世界之大，人類絕非唯一靈性的主宰。）

我：「有恐懼感嗎？」

妹妹：「恐懼倒沒有。事實上，我們覺得它們和人……跟它們相處與和人相處是一樣的，它根本就妨礙不到你，你也妨礙不到它，人所有的恐懼感是因爲不了解它，以爲它會傷害人。」

我：「那『它』會有感覺嗎？感覺到我們人的存在？」

妹妹：「應該會感覺到。像我們跟一些動物，還有和一些植物相處，雖然我們沒有語言上的交流，但是彼此有語言之外的交流，有時可以覺得彼此心是相通的。喜歡植物、會種花的人，還有喜歡動物的人，都會有這種感覺。所以我覺得它們能夠感覺到。」

我無語。這樣的溝通，只能是因人而異了。說多了，可能都是屬於「迷信」範疇了……

常月：「我們還學一些道教的經典，一些理論上的課程，還有一些現代的課程，以及武術。老師要求我們首先應該了解道教各種各樣的經典，自我有一個提升。」

我：「這些課程對你來說，你喜歡嗎？喜歡學習這些東西嗎？還是像任何的一門學科，在學習的時候也難免會枯燥，心裡覺得煩躁？」

妹妹：「喜歡的，否則我不會離開自己原來大學的專業到這裡來。不過在學不會的時候也會煩躁。」

我：「比你在師範學院學習的時候興趣還濃？」

妹妹：「當然是在這兒的興趣濃。因為在一般的學校學習，常常會產生一種『學這些東西有什麼用』、『到哪裡去用』的疑惑。真的，這樣的疑惑常常有，學些沒有用的東西，反正我這麼覺得。」

妹妹邊說邊笑。

我：「很多人會反對你這麼說的，學的東西怎麼會沒有用……」

妹妹笑：「你不了解。我們學的課程，我覺得不太……不太實際吧。但是在這裡就不一樣了，這裡學到的東西，對自身的認識是一個提高，這個是非常明確的。而且我自己在修煉，被自己認識到的東西必須要說得出來、講得清楚，別人才會明白，所以學習這些我很有興趣，有勁頭。」

＊　＊　＊

與昨天相反，今天太陽偏西了，我才又重新回到草地。

小草地上很熱鬧，生的偉大剛剛從重慶機場接來北京朋友，有大知識份子人馬座，一心來辟穀的小男，他的朋友亞女、小潔等等。道長坐在他們中間，正像任何時候一樣滔滔不絕……

道長：「……在古時候，一個老人離開這個世界的時候多半是壽終正寢。比如在室外曬個太陽、在陽光下看本書的時候，闔上眼睛，很幸福安詳地就過去了。這是我們中國的古人告別人世的方法，追求的是無疾而終。但是我們現在的人呢？有多少人能夠壽終正寢？又有幾個老人可以做到這樣體面、安詳地告別人世？」

我找把椅子坐下，跟大家打個招呼。

道長：「大多數人在我們這個時代，告別這個世界的時候，胸口都綁著心臟監測儀，很多管子從不同的地方插入身體，爲什麼？因爲我們不是潔淨地生活在這個世界上，我們的身體充滿了毒素。一千多年前，我們道教的祖師呂洞賓就在他的著作中提到了，『欲要長生，腹中常清，欲要不死，腸無渣子。』從前古人都是自己修煉，現在沒轍的時候，逼急了的時候，我們就把修煉的一些手段當作治療暫用了。這就是你沒看到的他們幾位的辟穀。其根本目的，是在幫助提升生命品質的同時，迅速讓身體排毒。」

原來道長是在答惑解疑。大家用眼睛看我們幾個正瘦骨嶙峋著的辟穀者，眼睛裡面都是好奇。

道長：「很少人能夠意識到，我們人越來越生活在毒素裡面。全世界的人都面臨『排毒』這個事實，排毒在短短二、三十年成爲世界主導性的一個驅除疾病的方法。」

大知識份子人馬座：「現在出現的水療法，還有灌腸這些，是不是也是排毒？」

道長：「是的，水療法、灌腸，也是一種排毒的方法，但是有侷限性，它排出的只是局部的，比如腸部的毒素。我們的腸子如果拉出來有十幾公尺遠，在我們體內有皺折，裡面沉積了很多的毒素。而我們的辟穀，驅除的是整體生命的毒素，沉積在我們整個身體、生命裡面的毒素，既有身體方面的，還有思想方面的，包括代謝毒素、食物毒素、藥物毒素等等。」

小男：「就這十五天，或者二十一天，就行了嗎？」

道長：「需要透過三年的整體辟穀，才能基本上把身體的毒素全部清除乾淨。以後每一年只需要很短的三天、五天時間辟一次穀，因爲在我們的體內已經沒有沉積了。」

大家開始詢問我們辟穀者的感受。小男、亞女他們，對幾日不見的我竟瘦成這樣大感興趣，一時問題呈排山倒海狀，我挑出一二：

亞女：「……你餓嗎？」

我回憶。說實話，這兩天還眞的沒有心思、沒有時間去想過這個問題……

道長笑，代爲回答：「餓是不可能的，但是他們很快會饞，等她的身體略微適應一下之後。」

人馬座笑，雙眼露出鋒利的光芒：「眞的什麼都沒有吃？半夜沒有偷吃？」

胖子：「你這種境界的提問，讓我們都沒法回答……」

小男指著我：「道長，她都這麼瘦了，這些天還會瘦嗎？」

道長：「還會。要瘦到一定的程度。」

像已經辟了半個月穀的亞女：「那像我本來就這麼瘦的，再辟穀，我都沒了……（笑）就剩骨架了吧……」

道長：「像你特別瘦的，也是身體系統有問題，透過辟穀的調整，應該還會胖一點回來。」

我和道長說了下午練功時耳鳴得厲害，挺嚇人的，持續了有十幾分鐘的時間。

道長：「你有中耳炎吧？」

我恍然想起來：「哦，好像小時候得過，不是太嚴重，我都忘了！」

道長：「你看你自己都忘了，但是你的身體沒有忘記，是你的眞氣一直在攻擊你曾經有問題的地方。我和你們說過，辟穀期間你們的眞氣非常旺盛，自己會衝擊原來有病的以及潛伏有病的地方。現在你們身體的眞氣能夠把之前形成的疾患逐步都瓦解掉——所謂的癌症是要沉積很多潛伏的因素才能形成，現在在你們的身體裡，就沒有機會去形成一個大的隱患了。」

內向的小潔：「道長，他們不餓只是感覺，還是眞是身體不需要食物了？但是身體的需要是不隨感覺的，身體會受到損害嗎？」

道長：「他們正在做的這個辟穀功，全名叫『服氣辟穀』，服就是吃，氣是指我們的能量，是『服氣而辟穀』。我們透過開頂，透過功法，達到一個效果，這個效果就包括胃酸不分泌，但是身體的新陳代謝並沒有停止下來。在服氣辟穀期間，我們的身體是有能量來源的。南華眞人在《南華經》中寫道，『藐姑射之山，有神人居焉，肌膚若冰雪，淖約若處子。不食五穀，吸風飲露，乘雲氣，禦飛龍，而游乎四海之外』，其中的『吸風飲露』，就是採集能量。在我們生命的過程中，最早獲得能量的管道，絕對不是像我們現在這樣靠單一的吃飯方式來獲得，而是靠多種管道來完成的。比如我們吃的蔬菜，還原回去無非就是陽光啊、水啊、土啊的一些化合物而已，是透過光合作用產生出來的，我們辟穀期間的採氣，就類似於一種光合作用。人吃飯的目的就是爲了獲得能量，而這種能量的獲得在我們的身體是透過胃的消化來完成的。」

生的偉大：「人還不夠先進，植物只需要光合作用就可以活很久了。」

道長笑：「植物獲得能量的方式，表面上只是光和水分，而其實宇宙中散佈著很多的能量。我們把人體看作是這個宇宙中出現的一個最高級的細胞，最有智慧的一個細胞——插一句話，全息理論終於得出人的『每一個細胞記載了我們每一個人的生命基因，同時也記載了將近五十億年生命進化的過程』，與我們的道文化又殊途同歸了。好，宇宙中散佈著很多的能量，而我們人體是整個宇宙出現的一個最高級的細胞，那麼，實際維持我們人的生命，是不一定要透過吃東西來完成的。經由辟穀，我們還原到生命最基本的形態：採集能量。這就是辟穀的人爲什麼不餓，因爲我們的生命還是有能量在支撐。生命其實就在於能量的支撐，有了能量才能完成新陳代謝最基本的運動。」

月亮出來了。雖然天色還未黑，雖然我們還依然被籠罩在這個潔淨明朗的黃昏之中，但是這個相對於夜晚來說還沒有成熟的、年輕的月亮，泛著讓人喜愛、羨慕的紅紅的混沌色，靜靜懸浮在天邊，等候升起。

道長：「今夜又是皓月當空。光能、磁能、電能、波能，充斥在我們的宇宙中，密不可分，還有波和波群，就在我們的體內和體外，四處蔓延。在這一切之中，能量無處不在。我們透過發功和採氣的方式來獲得能量，滋生生命的能量。」

19

道是什麼？

小男皺眉琢磨：「那這個道究竟是什麼呢？道理？日常？」

道長：「傳統道家的文化和道家的哲學告訴我們，這個道，就在平常日用間，為人處世，待人接物，既是對待他人，更是對待自己。」

小男在北京的時候就和道長反覆電話商議，見面相求了，說好這次與我們一起辟穀。他最關心的問題：

「我們辟穀開頂是怎麼一回事呢？怎麼開呢？生的偉大說是用榔頭和錘子開頂？」

大家驚訝地看著道長。

胖子笑：「都是胡說……什麼榔頭錘子，是用咒語打開。」

小男臉上的表情轉變爲驚訝：「用咒語？這是怎麼一回事呢？眞的有咒語嗎？我一直以爲咒語是一種神話一樣的東西，怎麼可能透過咒語打開天門？」

他伸手摸著自己的頭頂：「這裡的骨頭多硬啊，依照你的說法，就靠哇啦哇啦的幾句話，頭蓋骨就可以裂開了？」

大家，尤其是新從北京來的朋友，都期待地看著道長。

道長：「對，是咒語。特殊的咒語，就會影響身體特殊的部位。這個咒語還不僅與你的頭蓋骨相關，以後你接觸多了就知道了。」

人馬座完全以一種「I can not believe……」（不能相信）的表情：「這還是我第一次聽說用語言能夠打開頭頂？」他伸手撫摸著自己的「聰明絕頂」……

道長笑：「看看，這還當著我的面，一個意思就已經被說走樣了。咒語主要是利用一種特殊字的發音，用聲音衝開我們的中脈。呵呵，不是『用語言打開頭頂』。簡單地說，開頂就是透過咒語。」

小男喃喃自語坐在那兒晃悠：「用咒語衝開？」

道長：「咒語的力量是非常強大的，那是一種你們根本不了解的力量……」

人馬座笑看四周：「失傳了……」

大家紛紛央求：「跟我們說說，那是一種怎樣的力量……」

道長笑：「可見我們世俗的好奇心，說明我們對於自己的一種特殊文化、對於我們祖先並不了解。咒語在曾經、在古老的過去和現在非常小或者說非常偏遠的一個範圍內，是一種非常日常的知識……」

生的偉大：「對不起，道長，打斷一下，咒語不是一種非常不好的意思嗎？在我們一直的認知裡，好像咒語總是要咒什麼人和事，是一種貶義……」

道長：「咒語是一種客觀現象的描述，平平等等的，沒有好和壞。認爲咒語是貶義，是現代人的一種誤解……」

小男：「不是吧，人們因爲恨一個人，就會說『我詛咒你』……」小男說得聲情並茂，自己笑了起來。

道長：「當然，當人們在咒前加一個『詛』的話，它就壞了。但是古人是很少用詛咒的，爲什麼要這麼發狠地去恨一個人呢……」

無話不說：「道教的咒語和貶義沒有關係吧？咒語裡面有詛咒嗎？」

道長點頭：「咒語裡面包含有詛咒。壞的咒語加詛，就有詛咒了，不良訊息的加入，對生命體是有不好影響的……」

是的，我看過的那本書，記錄了日本科學家做的關於水的實驗，就有各種訊息與水溝通之後水的變幻。如果對水祝願，拍攝出來的水分子就美麗無比；如果對水用了很惡毒的、詛咒的語言，甚至只是念頭，這樣的訊息會讓水的分子非常醜陋，還有一種一籌莫展的彷徨感；如果用一些憂傷的音樂或者傷心的意念，水分子的結構是會破碎的……

道長：「世界中存在很多種的力量，或者說力量的運算式是各種各樣的。我們把這種種的力量叫做各種各樣的能。其中，聲就有聲能，是聲音的能量。這個聲能和我們的身體有對應關係，因爲我們人是小宇宙啊，如果用宇宙全息的概念來說的話，人就是整個大宇宙的縮影，任何一個波都會和我們發生作用，會使我們的身體發生一些特殊的感應，這些感應會影響我們的生命體。」

小男笑：「哦，難怪，有的人說話僅僅是聲音就讓人舒服；有的不管說什麼，一出聲就讓人不舒服……」

亞女：「這是兩回事，那是性格衝突……」

小男：「是一回事，聲音的頻率不對，道長不是說了，這個聲音的波使我們身體對應的部位產生了不愉快的反應，而我們自己無法辨別，只覺得不舒服……」

道長笑，未置可否。

道長：「我們中國的道文化正是利用了這個原理，發展或者說採集了各種各樣與宇宙母音相通的音頻，透過咒文的誦讀，配合數、印、符的應用，達到啓動生命能量的作用，這就叫『密咒』。

那是中華民族很古老、也是人類很未來的一種科學，只是還沒有被我們現在的人完全認識到。」

亞女：「咒語不是一種迷信？」

生的偉大笑：「我們來到這裡才知道，我們平時生活中用得最多的概念，是『迷信』。這個詞可以得獎了，最普及概念獎……」

道長：「很多人都會認爲咒語是迷信，那是因爲他們不了解。也有很多人認爲咒語是很不好的，好像『咒』已經與一切的貶義聯繫在一起，這是更大的一種文化偏見，也是因爲不了解。因爲我們現在唯一與咒相關的詞，是『詛咒』。」

無話不說突然道：「說『去死』算不算詛咒？」

大家笑。

道長也笑：「咒語是什麼呢？簡單來說就是身體特殊部位對一種聲音的感應。辟穀給你們開頂的咒語，實際上也是同時對應了你們身體的各個重要部位，用一種聲音將它們護衛住。精通咒語的人，只要念咒語就能夠治病，用聲音改變身體某個部位的病症，這是很高深的一門學問。」

人馬座：「有的時候，一種幾近消失的文化現象，因爲隔絕的時代遙遠了，在追述的時候會有文學描繪的傾向。這個在武俠小說裡體現得最爲具體了……」

道長笑：「是嗎？其實這個咒語的現象並沒有完全消失，甚至還在被普遍地使用，只是時光使得這個文化現象的範疇變狹、變小了，人們即使在頻頻使用它的時候，也不問究竟，忘記根源了。」

小男充滿好奇：「還有嗎？我們生活中常常還在使用的咒語？」

道長：「說個簡單的例子，在中國也好，在西方國家也好，剛剛出生的嬰兒想讓他撒尿，我們都會發出那個『噓噓』的音。小孩剛來到這個世界，連話都不會說，也聽不懂，也沒人跟他們說這個音是什麼意思，但是只要聽到這個音，不管是我們中國的、東方的嬰兒，還是西方的、非洲的嬰兒，他們都會自然排尿。爲什麼？因爲這個音就和腎臟有關係，和膀胱也有關係。再說個例子，拿破崙的軍隊在橋上行軍的時候因爲同步而把橋震垮了，也是因爲有同頻聲音的震動。還有，我們彈琴，有時候牆上掛著的六弦琴就會發出嗚響……物理學把所有這些現象，都叫做同頻共振。咒語就是一個簡單意義上的同頻共振。當我一旦找到你身體中的頻率，然後我用我的頻率來影響你，就會影響到你的生命狀態，甚至改變你的身體機能。」

眾人啞口。又是一座隱祕千年、歲月覆蓋的橋樑，將中國人古老的、近百年來我們自己都不太相識了的「咒語」，與現代物理科學「同頻共振」的理論輕輕地聯繫在一起。我看見「歲月」這座橋樑古老而優美的漫長弧度……

道長：「只要我們注意一下，其實咒語這種特殊的依靠聲音影響身體、甚至命運的現象，並沒有遠離我們的生活，也沒有遠離我們生命的過程。只是我們越來越不了解它，越來越曲解它，但是它一直都在。」

小男輕輕點頭：「我想起來了，道長，現在很多人改名字，也算是在尋找對自己身體有利的聲音頻率吧？不管他們自己意識到沒有，實則就是這樣，對不對？」

道長點頭：「說得好。這是依靠特殊的數字，對身體產生不可避免的、特殊的影響。你們說這是迷信嗎？這是我們中國古老文化的智慧，這是未來科學的一部分。」

人馬座：「名字不是發出的音與我們的關係？而是數字了？」

道長：「咒語是非常複雜的一門學問，當然換個角度也是非常簡單、單純的一門學問。這要看你的名字該怎麼去調，有音的關係，也有隱藏其中數的關係。調改了的名字就是讓我們來叫的，我們不斷地叫，就在不斷地、有意無意地增強某個區域的能量，它的暗導力就對你有影響。」

胖子：「符和咒語，它們之間有什麼關係呢？」

道長：「符、咒是連通在一起的，咒語是透過聲波來影響人，符是透過它的形體來影響人，兩者都和生命有對應的關係。你說的符，如果我們透過特殊的方式來書寫，它對我們體內的氣路就有非常直接的感應，會影響我們身體的氣路。符和咒是一樣的原理。」

胖子：「在舊小說裡看到，寫一道符讓一個得病的人喝了……」

道長：「對，這個是我們道教符籙科必修的一種。」

人馬座：「咒語能夠治病，你說是因爲聲音對於身體某個部位的作用，那符呢？符的形狀燒成了灰，放進水裡喝下去，怎麼就能治病了？」

道長：「符與身體之間的作用同樣是能量和訊息。我們把能量蘊藏在符裡面，然後透過水——水是易於吸收的——浸透到我們全身。也有直接吃符的。」

無話不說：「我說點兒舊話，雖然我現在正在覺悟的過程中，但是舊有觀念還有非常影響我的……」

生的偉大笑：「你是新有的觀念。我們現在說的是舊有的觀念，很舊、很有的觀念……」

無話不說：「我們一貫以來，就是說我有生以來所見、所聞，這些符啊什麼的，咒的『同頻共振』物理觀念我基本上接受了，不說了——這都不是愚昧嗎？我不能說反科學了，道長反覆說了，現代科學很年幼，我拿一個很年幼的概念來質疑四千多歲並不合適。但是我可以認為弄張紙，在上面寫寫畫畫，然後燒了，給人喝灰，那確實是挺愚昧的啊……」

道長嚴肅：「也許一點都不愚昧，也許是我們現在的人很愚昧。我們現在的人對宇宙的認識是非常非常有限的。我們現在已經習慣了，認識一個愚昧與否、判定一個愚昧與否，都用你說的那個年幼的小孩兒——現代科學來作為基準，包括你剛才認為的愚昧。雖然你不承認，但是你也實際上依據了這個科學的標準。其實現代科學的發展不斷有日新月異的變化，它的認識也在不斷地超越。顯微鏡、航太、對人體自身的認知，這些都讓科學往前邁進。但是反過來，顯微鏡的觀察、經絡存在於人體、人體的磁場、地球的磁場，這些我們中國人在四千七百多年前就已經知道了的客觀，需要科學在四千多年之後的發展來證實，這個值得我們思考。什麼是科學？什麼不是科學？這個並不是判斷我們自身的一個標準。我們人的認知是有限的，人所掌握的科學還在發展、進步，它正在一點一點地認識我們這個世界。中國道文化對人類有很大的貢獻，四大發明中的火藥、指南針，與道教有著直接的關係：它們都是在煉丹的過程中發明的。而人體的經絡被德國人稱為是第五大發明。現在你們又談論到一個並不陌生的領域：咒語與符。我們對自己——我們的身體與生命，對我們身浸其中的文化，究竟了解多少呢？」

生的偉大誇張地一聲嘆息：「這就是魚兒和水的關係。魚兒就在水中，魚兒離不開水……」

＊ ＊ ＊

道長：「是這個道理。不少人對於道的理解，始終覺得很神祕，或者是與我們無關，有時又覺得它是一個不可名狀的、離我們很遠的事情；但是又有很多時候又會認爲它是一門有智慧的學問。既近又遠，很難眞正地把握到它。其實道文化融會在一切的中國傳統習俗、一切的生活裡面。我們說『道在平常日用間』，道就在我們喝茶的注水、舉杯間，在我們生活的點滴片刻，在我們工作中一時一瞬的重複交錯，在所有我們的平常日用、與人與物相處裡面。它並沒有抽象到我們難以去理解的一種宗教符號。」

小男：「像魚在水裡？」

道長：「是。」道長微笑，「海裡面的小魚問大魚，『我常常在聽人們講海，海究竟是什麼啊？』大魚說，『你不就在海裡面嗎？』海就在小魚的身體裡面，海也在小魚的身體外面，小魚就在海裡面。但是由於小魚完全地生活在海裡面，牠反而不知道了。我們也因此常常不知道。看，『不知道』，你們有沒有注意過在我們的話語裡經常在用的這個『道』字。我們說知曉了某事叫『知道』；我們說某人做生意很好，叫做『生財有道』；把一個企業經營得很好，叫做有『經營之道』。在中國古代，爲人夫，爲人妻，爲人母，爲人父，都有道的，是『爲夫之道，爲父之道，爲妻之道，爲母之道』，都在道中。人們還常常以『道』來劃分社會——黑道，紅道，黃道。所有生活的每一椿、每一點、每一滴，都在道裡面。治國平天下，叫治國之道；用兵打仗，叫用兵之道；還有爲君道，爲臣道，處處都有道。道實際上與我們近得不得了，我們會處世，說有『處世之道』。道就像海水，圍繞在我們四面八方。」

小男皺眉琢磨：「那這個道究竟是什麼呢？道理？日常？」

道長：「傳統道家的文化和道家的哲學告訴我們，這個道，就在平常日用間，爲人處世，待人接物，既是對待他人，更是對待自己。」

大家不語。這輕輕易易的幾句話，聽來份量極重。我思緒翩躚：有多少人能夠在對待他人的時候，會想到此番作爲更是在對待自己呢？中國古老文化的認識，是推己及人，也是推人及己。其智慧與辯證的魅力，非當今世界的文明人能夠輕易企及的。這麼簡單而古樸的道理，在今天，卻似靈丹妙藥，可以醫治世人紛亂的、盲目的、自私卻難以自利的人心……

道長：「這個道如果放大，也是生命和宇宙的原點。假使我們學會在原點中看待世界，找到生命宇宙的原動力，找到生命宇宙中的規則，也找到了通向這個規則的道路，我們的生活就會非常的美好，我們也會非常有智慧，我們的人生就會非常的圓滿……」

無話不說：「這聽著有點繞彎，有些吃力。簡單說吧，怎麼找到這個能夠讓我們人生比較美滿、智慧的道呢？」

亞女：「是不是就得上山、進廟之類的，心才能夠純淨啊？」

道長：「有兩種方法，你說的是其中一種，就是類似於上縉雲山，在道觀裡面修行；另一種方法，就是像每一個人那樣去生活。生活也是在修道，修道就在紅塵社會中，在你們的生活中。」

一人懷疑：「這兩者能一樣嗎？」

道長：「上山修的道，和在你們生活中修的道，平平等等，沒有高低。道就只有一個。」

無話不說慢悠悠的口氣呈忍無可忍狀：「道長，我又不得不說了，蒙我了吧？像不給我辟穀，也說我將達到和辟穀一樣的效果？那如果上山修煉和不上山一樣，我們還爲什麼上山？你們又爲什麼在山上？」

生的偉大嘿嘿笑：「那就應該是你在山下給他們傳道了……」

道長笑：「說探索也好，說追求也好，道只有一個，山上的道和山下的道是平平等等沒有任何差別的。可能你說的是一個方向性的問題。我們在山下悟道，多數都是處於被動的，碰到什麼事，才有可能覺悟什麼事。生活中你遇到開心的事情，遇到悲傷的事情，你遇到了很多的事情怎麼對待、怎麼處理，你們的情緒自己無法控制，因爲你們並不知道下一分鐘的事態會是怎樣，你們都是隨著事態，或是生氣，或是高興，或是失望沮喪，或是振奮得意，都是將要發生的事情決定你們的什麼情緒。而且幾乎是任何一件事情都會左右你們的情緒。但是『悟』是一樣的，沒有一個人在度過自己的生命經歷之後，還是無所知、無所悟的，再不明白的人，到了一定的年齡都會明白，因爲他經歷了。任何一個老人都是智慧的，因爲他積累了他的經歷。在生活中做成功的事情是爲了讓我們明白，做失敗了的事情也是爲了讓我們明白；痛苦是爲了讓我們明白，高興也是爲了讓我們明白，種種情緒的不同變化，都是爲了讓我們明白生活中、生命中的一些東西……」

生的偉大小聲重複：「生活中沒有失敗，但都是教訓……」

有人輕輕笑，輕得像小風微微掠過……這是我多年以來嚮往的朋友相聚啊，並不是美酒高歌，不是寒暄客套，不是華麗的燈和更華麗的衣衫刺得雙目酸澀，而是有眞誠的話語娓娓道來，有晚風緩緩吹拂，有山林與紅塵的氣息交錯飄浮，日光與夜色的無聲相替……紅塵在極目的山下遠處，車燈流動，那一片生動之中，各人、各自在尋找、在體驗他一生的喜怒哀樂；而山上的山林，連風都彷彿躡足提衫地輕輕在林中穿行，月亮慢慢地升起，山體的寂靜、莊重，彷彿夜，是一個不可言說的儀式，將日與月無聲地此起、彼伏，光陰在一明、一暗的交替之間，千萬年地滑行……而在這分分秒秒的不知不覺中，心裡像有一扇未曾發覺的門，悄悄、悄悄被開啓，有一個世界，在我們的心裡還有一個世界……

道長：「聽說過這句話嗎？『當我們頭破血流的時候，往往就知道了規則的存在』，這就是在紅塵中、在社會裡面的修道。」

生的偉大：「這話不像古人說的。」

道長笑：「這是恩格斯總結的。道是一個總的規律，這個總規律運用到處世的原則中就變成了處世之道，運用到經營的過程中就是經營之道，運用到生意的過程中就成了生意之道……它是一個總的法則，在各個子項目中間的運用。而像我們在山上修道的人呢，是主動地去悟，主動地去找。老子說『不出戶而知天下』，這是因爲宇宙萬事萬物雖然在表象上有很大區別，而本性上是一致的，這就是一切及一，一及一切。我們找著了本質上的道。形而上者爲之道，形而下者爲之器，那麼自然以道觀之，就知道了各種各樣的方式，和它本身的變化。所以道只有一個，並不是道只在山上。但是悟道的方式是我們可以選擇的，我們是願意頭破血流地去找到這個東西呢，還是願意在山上透過一種方式主動地去明白？」

靜默……

道長：「我們在山上修道的方法，是我們主動地去找生命的這個東西，尋找生命和宇宙的原點；我們在社會中去悟呢，是在大量的生活經歷之中。道是無所不在的。在生活中尋找雖然頭破血流，雖然悲喜交集，雖然七情六欲，雖然有種種的磨難，實際上到結果都是在幫助我們去悟。而最後山上、山下彼此悟出來的道，一定是一樣的。一個人做生意做到最好的程度，他會悟出來；一個人哪怕是盜賊，到最後他也會悟出『盜亦有道』來。七十二行任何一行做到最高的一個境界上，悟出來的東西都是一致的。一個人成了大畫家、大書法家的時候，他悟出來的東西，和一個大詩人、大音樂家、大政治家，乃至於大企業家、一個大乞丐，悟出來的東西在某種境界上是相通的，這就叫『大道至簡，殊途同歸』。歸到一個對生命和宇宙最本質的理解，就是歸到道。」

小男：「道是一切嗎？」

道長：「太上老君說，道是宇宙中無所不在的眞理，他遍一切的時，一切的空，在宇宙的各個角落都存在；莊子說『道在屎溺間』，他怕我們聽不懂門裡也有道，門外也有道，山上也有道，山下也有道，乾脆一下子說到底，連屎溺裡面都有道，看你們怎麼去領悟了。所以我還是提醒你們：道不只在任何的一個廟門裡面，道就在大家的平常日用間，在我們的生活中。『道者須臾不可離也，可離非道』，道這個東西你不可能須臾離開它，可以離開的就不是道了，所以我們平時就是生活、生存在道裡面。但是我們生活中的人，卻不知道自己就是在道中，比如說生氣的時候我們不知道為什麼會生氣，著急的時候不知道為什麼會著急，我們不知道怎麼去對待讓我們會氣急敗壞的這件事情，寧願我們的血壓變高、血脂變高、血糖變高，什麼都變高。我們對這個世界有種種的誤解，我們總是在干擾著它，在錯認著它，就像干擾、錯認我們的身體。而這一切裡面，是我們對道發生了種種的錯位，我們沒有理解到道的存在，沒有理解到道的本相，雖然道始終在顯現給我們。『道』為了讓我們領悟，不惜讓我們感覺到失敗、挫折、憂傷、悲愁，還有欣喜……」

無話不說：「那，這道，給我的種種禮物可真不少……」

小男：「為什麼我們會錯認呢？難道我們感受到的挫折並不是挫折？悲愁也不是悲愁？難道我們還應該為此高興嗎……」

20

道家的養生方法

道長笑：「泥療是不是跟野豬學的尚無考證，但是挖掘一下它的歷史，泥療實際上是屬於道家五行療法之一，是金木水火土的『土』療法。」

眾人驚訝之色……

道長：「因爲我們有欲望啊。欲望讓我們偏離了人生眞正的方向，讓我們產生種種的錯認。」

院子裡適時響起道家《清淨經》的裊裊音樂，女聲輕柔的哼唱隨之：晚飯時間到了。

道長：「《清靜經》裡說，『既驚其神，既著萬物，既著萬物，既生貪求，既生貪求，既是煩惱，煩惱妄想，憂苦身心』，描述的既是宇宙的一個運動狀況，也是它讓我們去明白的一個過程。它要透過這些東西讓我們明白，哪些東西是可以的，哪些東西是不可以的。翻譯成爲我們現在的語言和思維的邏輯，就是：我們都在社會上生存，我們是不是都明白我們深入其中的這一行的遊戲規則。這些規則都是潛規則，但是無形中都在制約著彼此。」

人馬座沉思：「那越是了解本行遊戲規則的人，既是越明白，修行也越深？」

道長：「從紅塵的角度，入世越深，在他那一行裡面越成功的，一定是醒悟更深的，他一定是最能夠把握人與人、人與欲望之間的尺度與關係的。但是這其實隱射的是更大的一個規律和『道』之根本，如果了知這一點，連最後把握的那點欲望與關係都會看淡。所以我說在山上山下，是身在紅塵還是遠離了紅塵，我們修的、悟的都是一個東西，只是到達的時間不同而已。」

無話不說：「道理是這麼說，但是誰遇上病了，而且還是大病、重病，誰遇上禍事了，倒楣了，被搶劫了，或者發財了，娶了八個老婆了，中了大獎了，怎麼可能反而悟道呢？如果這樣眞的能夠悟道，那麼再說你們，同樣是人，既不需要遭遇什麼事情，也不受到任何的挫折，僅僅透過修煉就能夠一樣悟到這些？」

道長：「當你一把抓住了本質的時候，你就是內心敞亮而且非常幸福了；就算你遇到了一件很不好的事情，你也會在幸福中去體會，這就是修行。領悟到這一點，我們會發現我們生活的狀態並沒有變，但我們的心態變了。其實我們人是活在我們的心態之中，是不是？並不是有錢就能夠幸福，跳樓的人往往是有錢的人，深感痛苦的人大多都是有成就的人。幸福和你的地位沒有關係，和你的財富沒有關係，和你遇到什麼事沒有關係。幸福是我們對生命的一種徹悟和達觀。」

無話不說：「那——俗話說我們就是白活了？原先我還以爲我挺有悟性的呢！有沒有人生生世世地活了多少代，都沒有悟出一個道理來呢？」

道長：「任何人的生命過程，都是一個悟的過程，只是在多大程度上悟，有沒有悟透罷了。我們都在悟，但是有的人因緣不夠。宇宙是往前進步的，生命是往前進步的，我們的生命從來沒有停止進化。我不贊同現代進化論的漸變論，我們的生命不是這樣一個漸變，我認爲生命是由幾個本質意義上的躍遷。修煉類似提升速度。從道教對生命的本質理解，不認爲生命就是一個基因的物質層面的單一克隆。西醫把人體當作一個物質性的、結構性的東西，如果再加上心理學，也只是從身心兩個角度來認識身體，而我們人實際上是身心靈三方面的組成。」

人馬座：「這個道，有沒有一個極點可以用語言描述？比如說我們講，一個人最根本的要誠實和善良。」

道長笑：「沒有。如果可以描述，就變成朱熹了。中國的文化，就是從朱熹這裡開始變異的；中國文化的靈魂，也是在朱熹他們的手上扭曲的。原本我們中國的文化是活潑的，充滿靈性的，不是我們後來所看到、所理解的那麼死板的、陳腐的。中國文化最了不起的時代是在漢唐時期，所以現在我們自稱爲漢人，西方人管我們叫唐人，在西方國家，中國人居住生活的地方叫唐人街。唐人、漢人的稱呼，就是源於中國最偉大的這兩個朝代：漢朝和唐朝……」

在《清靜經》輕柔的音樂中，暮色裡，在場的漢人、唐人，都輕輕頷首，默認我們歷史曾經的靈動與神聖，恢宏與壯闊。這個比彈指一揮間的歷史短暫億萬、億萬倍的瞬間，也是這麼眞實地、充滿感染地呈現在這個黃昏的片刻瞬間，像潑染的畫卷，侵蝕了我小小脆弱的心臟……

道長：「唐朝之後，中國文化就變異了，原因就是宋朝時出現了朱熹，出現了二程。程朱理學，提出了三綱五常，提出了夫爲妻綱，父爲子綱，君爲臣綱……」

小男：「朱熹的主要成就是對孔子的解釋，孔子提倡的忠孝仁義難道不對嗎？」

道長：「問題就在於他錯解了孔子，錯解了中國的傳統文化，他把中國的傳統文化定格成爲一個僵死的東西。經過他解釋的中國文化，已經完全不一樣了，雖然講的還是同樣一個東西，但是他把這個東西講死了，失去了靈性，失去了活性。那是完全不一樣的兩個體系。東、西文化的不同是：它們恰好是相反的，中國文化一起步就很高，非常博大，非常壯麗，非常恢宏，我們現在知道美國人的開放，他們比不上我們的唐朝，我們且不說別的方面，在唐朝，僅從婦女的衣著就能夠看出來其思想與文化非常開放的程度，開放是一個民族自信和發展的特徵。透過朱熹，一下子就變了。而西方，在他們很早以前神本主義的時代裡，一開始就很嚴謹，然後文藝復興起來了，最後才放開。西方以前是非常束縛的，所以那時候哥白尼會被燒死，因爲神權大於一切，西方文化是先緊後鬆，鬆開了，開放了，才發展進步了，一下子超過我們。我們是剛開始很鬆，很壯闊，然後一下子緊了，我們一緊之後，就『縮』了，從本來的遠遠在先、遙遙在前，逐漸縮到了後面。」

沉默。話題進行不下去了。歷史的曾經，東方西方，似一塊巨大的強力壓縮餅乾，呈現在我們面前，令我們有些目瞪口呆，難以下口……

道長笑：「我們對自己的文化太不了解了。我們對生命的歷程，對文化的歷史，一樣不了解。妄自尊大和盲目自卑，都是不大對頭的。我們先去享受天地賜予的這頓晚餐吧，還有很多天，也說不完我們這麼豐厚的歷史所呈現的中國文化……」

是的，道長一說「吃飯」，像是得到了一個口令，我敏銳的耳朵聽到好幾個肚子裡面發出「咕嚕咕嚕」的鳴叫聲。我暗自笑起來，在暮色蒼茫中，自覺有些面目猙獰……

＊　＊　＊

這天的晚餐似乎進行得很快。我練完功，才在草地上發了一會兒呆，天還透著深深的藍呢，他們就搖搖擺擺帶著一肚子美食回來了。還在聊呢，我有些後悔吃飯的時候沒有跟著去，漏下不少話題……

一人：「……本來我們以爲道家也是吃素的，結果我們到山上來之後發覺，這裡的飯菜好吃極了，而且葷菜很多，道家不吃素啊？」

無話不說飽飯之後神定氣閒，一派土皇帝作風地瞥視了說話人一眼：「我之所以很痛快地答應到這裡來治病，甚至把代表了當代先進科學技術的西醫都放棄了，從根本上來說是因爲道家不吃素。人要有人的樣子，一個人這不能吃、那不能吃地被管束著，那還是一個人嗎？」

生的偉大：「亂講！你到這裡來是爲了什麼都不吃！」

大家笑：「是啊，你不是一心一意地想要辟穀嗎？」

無話不說舞動著牙籤：「那是另一個境界，是爲了更高的尊嚴，是爲了什麼都能盡情地吃！咱們別打岔，吃歸吃，問歸問，就是我做人也要做，做學問也要做……」

被打斷：「你的意思人家做學問的就不做人了哈？」

無話不說：「我的意思是道貌岸然的多。你看，這裡面又是一個道，看來『道』確實是一個標準啊，『道貌』還是一個很重要的標準……」

他們嘻嘻哈哈像被夜色重新推到了草地上。我浮想聯翩：到底是他們自己走過來的呢，還是被夜色推過來的？沙子們是自己爬上了岸呢，還是被水推上了岸？人是被命運推動著的呢，還是自己在行進自己的命運？腦子慢悠悠轉著，面容呈癡呆狀。他們紛紛過來問候，詢問狀況，我微笑點頭「好」字回覆。

眾人紛紛坐落在自己一個多小時前的位置上。

小男：「道長，確實我們不了解，道家從來就是不吃素的嗎？佛教都是強調吃素的啊……」

道長正動手弄茶：「那是你們對佛、道很不了解。我們一說吃素，就認爲是佛教的，其實恰好弄反了，佛教本來是不吃素的，而道教原本是吃素的。佛教從釋迦牟尼開始，到現在的印度佛教，都是不吃素的，佛教後來吃素，完全是受到了中國道文化的影響。中國文化的根本是道文化，道文化對我們的影響也包括了對佛教的影響……」

大家驚異：「佛教吃素啊，連居士都吃素。」

道長：「你們說的是中國佛教。佛教進入中國已經深深受到中國本土道教的影響，所以吃素。而這個佛教的來源——印度佛教，從誕生的第一天開始，就不是吃素的。到現在為止，佛教的密宗還是不吃素的。佛經上說，釋迦牟尼沿門托缽化緣，化到什麼就吃什麼。印度到現在為止殘存的一點點佛教，都是可以吃葷的。」

小男：「怎麼佛教傳到中國就吃素了？」

道長：「中國的傳統文化中，歷來有『素齋』習俗。這個素齋的習俗最早是中國道文化提出來的，有著很悠久的歷史，透過素齋，強調修煉思想，到莊子時期，已經發展到了有『心齋』和『祭祀之齋』的區別。佛教進入中國後，和中國文化融合在一起，受到很多中國道文化潛移默化的影響，其中就包括吃齋。」

不大說話的小潔：「還受到什麼影響呢？」

道長：「還有像中國佛教的廟宇。你們去印度看，我們中國的佛教廟宇，已經沒有一點印度佛教的痕跡，印度的佛教廟宇根本就不是這樣修的。從廟宇，到服裝，到這一切的顏色，什麼都不一樣了，佛教到中國基本上都本土化了。佛教現在在全世界有很大的發展，但那是以中國佛教為主流的，印度原生的本土佛教在全世界的傳播並不大。」

亞女：「道教原先吃素？」

道長：「道家一直是擇日吃素的，在一些特別的日子，歷來是這樣。佛教受到道文化影響後，慢慢演變到了完全吃素。」

小潔：「還有什麼受到道家的影響呢？」

道長思忖片刻：「還有像養生。養生，在傳統佛教是不推崇，更談不上重視的。還有比如說佛教現在也做法事，印度的佛教原先是不做法事的，只有一些很簡單的儀式；還有像抽籤、占卜等等這些。還有，原來的古印度僧團與傳入中國後的僧團，在生活方式上也有很大差異。在印度，僧眾主要是聽聞佛法、靜坐修行與托缽乞食等，並沒有固定的寺院生活模式。佛教是在進入中國之後，才開始形成穩定的寺院生活，也逐漸形成了完善的素食、法事與共住制度。這些演變都受到了我們本土道文化的直接影響。還有像相學、預測、堪輿、易經，這些都是道文化的學問啊，所以說佛教受中國道文化的影響非常大。」

小潔：「我們都以爲看風水、算命、測八字是廟裡和尚的事情，誰家需要看看風水了，就請一個大和尚，拿個羅盤……」

道長笑：「我以前和他們幾位講過，看風水、看相、算卦、命理什麼的，這些技術都是土生土長的中國文化，古印度佛教是沒有的，是佛教進入中國後從道教學習到的知識，正宗的佛教也不會傳授這些內容。風水、看相、算卦、命理的基礎，都是道教陰陽五行學說，我們都知道『一陰一陽爲之道也』，陰陽哲學是道文化的基本學說。但是目前大部分人不是不知道這些，就是不講究這些。眞正的佛教與易學、抽籤算命、養生都沒有關係，因爲所有這一系列的東西都是改變我們現在的、當下的生命狀態的。對於佛教、對於一個修來世的人來說，這些是沒有意義的。佛教不重視身體，佛教讓你修的是來世，那你在今生忙這些幹嘛呢？佛教認爲人生是四大皆空，認爲身體是臭皮囊，因此不重視養生。佛教提倡的是要大家不要去執著身體，說的是『放下執著』，『我們要到西方極樂世界去』；而我們道教是重視今生的，是修今世，道教知道我身爲幻，我身是假，正如老子所言：『吾之大患，在吾有身，既吾無身，吾有何患』，道教的落腳處或者說著力點，在於『今生成就』。道教要借我們的假來修我們的眞，其目的是強調提高我們的生命品質，提高我們的生活品質，就是要一步一步地幫助我們提煉生命的體會，提升生活的品質，最後逐步實現煉虛合道、借假修眞，所以有堪輿、八卦、養生這些術。」

小男琢磨著：「佛教進到中國以後，雖然受道教影響很深，但是『佛教度來世，道教修今生』，從根本上，他們是完全不同的追求啊……」

道長：「其實在境界上，道教和佛教是一致的，『佛教度來世，道教修今生』，只不過在修行的落腳處或者說著力點的不同而已。」

一人：「道長，那現在很多的養生方式，像泥療什麼的，都與我們的道文化有關聯嗎？有用嗎？好嗎？」

無話不說：「那是跟野豬學的，躺到泥坑裡蹭癢癢呢，頂多治個皮膚燥癢什麼的……」

道長笑：「你們的問題是從四面八方各個角度的啊！泥療是不是跟野豬學的尚無考證，但是挖掘一下它的歷史，泥療實際上是屬於道家五行療法之一，是金木水火土的『土』療法。」

眾人驚訝之色……

道長：「泥療現在已經變成社會化了，人們透過『泥』來治療的時候，多半不會去追溯這個方法的根源——這就是我說的我們都在道裡，像魚兒總是在水裡。我們都知道養生，但是我甚至忘記了『養生』原本的意思，也忘記了『養生』一詞出自哪裡，『養生』的實質是什麼。像泥療這樣的方法，道家裡面有很多，都是同樣，這很多也被歷史逐漸湮滅了，但是總還有一些透過各種各樣的方式保留到了今天。你們說的泥療就是有幸被保留到今天的一種，在經過了很多年的演變以後，已經很民間化了。」

一人：「不民間化的泥療是怎樣的？」

道長：「泥療在以前叫做『坤沙療法』，也叫土療法，是用打地氣的方式，接觸土質，在泥裡面還可以加藥，用特殊配製的方式加很多東西進去，對身體進行調理。但是泥療是有限定前提的，現在人們為了經營都忽略了，泥療並不是對所有人都合適。如果把完整的道家療法全部展現出來的話，是另外一個概念了，那才是可以適應各種不同的人。完整的道家療法有深遠的文化背景，是一種配套式的治療方式。」

胖子：「是不是還有火療法呢？」

道長：「有啊，火療法更厲害，有機會可以展現給你們看看。人們經常認為道家難以推廣，不能夠普及，其實就是魚兒在水裡，它已經從各個方面滲透到我們的日常生活中。不過是在時光中略有走樣，像辟穀，現在很多養生方法裡面也有這個，不過他們辟穀的時候還吃什麼棗啊、水果啊、黃瓜啊……呵呵，這只能算是減食，或者斷食……」

一人興沖沖：「道長，如果你能夠把道家的這些養生方法都恢復起來，我來找地方，我們來養生傳道……」

無話不說直截了當：「你那就不叫養生傳道了，叫生意，收費還相當高，辦一個VIP年卡怎麼也得幾十萬，檔次高一點的上百萬。我說的道貌岸然也就包括你這樣的人了……」

生的偉大笑：「那算我一個！我要打入道貌岸然的內部，純淨道文化……」

小男笑：「怎麼純淨啊？邊收錢邊純淨？」

生的偉大：「那也比只收錢、不講道文化要純淨……」

人馬座：「道長，其實話題這樣轉來轉去的不好，我們能不能夠就一個問題深入地談……」

道長笑……

人馬座：「比如說傍晚你跟我們說的咒語、符，這些話題還沒有講完……」

道長：「聊天就是這樣，再講下去就是實修了。」

人馬座：「還有像朱熹，程朱理學，三綱五常……」

無話不說：「那是北大的事兒，太嚴肅了。我們是魚兒在水裡，是什麼水就怎麼活，總不至於連水都沒有吧？大道至簡，就是魚兒離不開水了，魚水交融，是不是，道長？」

道長笑。

人馬座嘆息：「大好的時光……」

無話不說：「我用這大好的時光解決實際問題，道長，我這個問題很切實，請你一定要徹底回答：像我這樣，能夠透過修煉達到辟穀嗎？」

大家笑：「又回來了……」

生的偉大：「你不是要天天像個人樣地吃嗎？」

道長：「任何人，透過修煉都能夠達到自己辟穀。」

無話不說：「我自己呢？需要多少年？」

道長：「大約需要兩年到五年的時間，看練功的情況。」

無話不說：「爲什麼不鼓勵他們自己修煉辟穀呢？他們還沒病，我還有病……」

人馬座：「辟穀的時候什麼都能夠辟掉了吧？像菸、酒？」

道長：「當然，包括你所有的藥物，包括造成癌症的因素，都戒了！」

小男：「戒菸的過程會痛苦嗎？我抽菸，平時想要戒菸眞是太難、太痛苦了……」

道長：「基本上不會痛苦，但是每個人的反應也不會都一樣。有時候心裡還是會想，那是心癮……」

有年輕的年輕道士、道姑，都穿著同樣白色的中式衣褲，從院裡的小木門陸續出來。他們三三兩兩，各自夾著、抱著一個小棉墊，躡足輕聲而過……

道長望月：「快子夜了，應該練功了。我們今天就到此？」

無話不說：「等等，道長，我還有一個重要的生死問題……」

21
羽　化

人馬座不可置信地：「羽化就是能量化了？質能互換了？」

道長點頭：「用你們能夠馬上明白的、借用科學的語言來勉強解釋，就是這樣。」

無話不說：「佛教修煉最後叫圓寂，道教是什麼呢？」

道長：「羽化。」

無話不說：「我知道。圓寂還有一個肉身，羽化呢？瞬間這個人就消失了？」

道長遙望月亮，似在喃喃自語：「生命更高層次的存在方式是我們肉身的轉化，就是我們身體的氣化。我們現在肉身的存在方式，是一個很初級的存在。」

小男：「透過修煉就能夠轉化生命存在的方式了？」

道長：「道家透過煉丹，凝練我們的精氣神，然後就能夠轉換生命存在的形式。當我們的身體羽化了，以能量的方式存在，我們生命的形式就得到了更大的存在。」

小男笑：「就是常說的靈魂出竅了吧？」

人馬座：「靈魂出竅是不是也是道教的說法『元神出竅』？」

道長：「這兩者是不一樣的。很多人都有靈魂出竅的體驗，有的人做夢的時候夢到自己飄飄然的就出去了；有的人會夢到一些事情，隔段時間這些事情在生活中就眞的出現了；有的人到了一個地方感覺好像來過，這麼熟悉，但是確實又沒有來過……這些都是靈魂出竅。但是元神出竅，特別是陽神出竅，就不容易了，相當於現代科學所謂的質、能可以互換——是『相當於』哦，不是『等同於』。以前如果有人說讓我們面前這張桌子瞬間從我們眼前消失，那不是魔術，就是騙子。但是相對論最基本的定律告訴我們，這是可能的，這是上個世紀成型的科學成果，在一定的條件下物質就可以能量化。能量和質量是一回事。物質完全可以是以我們看不見、摸不著的能量狀態存在，也可能是以我們身體的內在物質方式存在。這就是用現代科學的角度來理解我們所謂的『羽化』。」

人馬座不可置信地：「羽化就是能量化了？質能互換了？」

道長點頭：「用你們能夠馬上明白的、借用科學的語言來勉強解釋，就是這樣。」

無話不說對著月亮在點頭，不知道他在想什麼。

生的偉大：「道教講究場嗎？」

道長：「當然啊，否則我們的堪輿依據的是什麼？還有我們的修煉。愛因斯坦說過一句話，『我們有兩種實在，一種是實物粒子，一種是場。』我們的身體也像愛因斯坦說的那樣，同時存在著兩樣東西，既有我們的實物粒子呈現的身體狀態，同時也可以用能量來描述我們的身體狀態，而且還可以互相轉化。我們平生修煉透過三個步驟，練精而化氣，凝練我們身體的肉身而產生出氣。經過長期的鍛鍊，我們的肉身可以不斷地用來凝練出氣，我們能夠感覺出氣的存在。氣在體內，到了一定程度，可以練精而化氣、練氣而可以化神、練神而可以還虛，一旦脫體之後，我們的性命就可以脫離身體而存在。閉關、辟穀，帶給我們的就是身、心、靈的提升。這不是一個身體的治病，辟穀是閉關中的最高形式。你們幾位辟穀的正在變成一個你們自己都不知道的新的人。」

無話不說繼續望月，彷彿凝固。

人馬座在月色下有點恍惚，像在說著夢話般：「透過修煉，人眞的能夠活到兩百多歲？」

道長喝口冷茶：「我在德國提到修煉與人生命轉換，肉身存在更長久的這個話題時，也遭到德國科學家的質疑。這個問題其實不用回答，你自己修煉了，自己就會知道。但是德國人緊接著問了一個非常尖銳的問題，說：『你們道教講的是道法自然，順其自然，但是又要延年益壽，延年益壽不就是違背自然的規律嗎？這兩個觀點有矛盾。』」

小男認眞點頭：「是啊，我也想說，這個違反自然啊……」

生的偉大笑：「這個問題我來回答：問題關鍵在於你對『自然』了解多少？自然沒有告訴你只能夠活七、八十歲啊，或者充其量衝鋒到一百來歲，對不對……」

道長笑：「是的，我們之前討論過這個話題。確實是我們對順其自然的『自然』有多大理解？人類在各個歷史階段的平均壽命都不一樣，看漢朝、唐朝、宋朝、清朝到現在，全世界的平均壽命都不一樣，哪一個階段是人『順其自然』的壽命標準階段？我們眞正到了我們壽命的極限嗎？向我提出這個問題的是德國生物學專家，他非常清楚脊椎動物的正常壽命是生長期的五至七倍，據此推算，人的自然壽命起碼應是一百七十歲左右；我們人現在努力地活到八十歲不應該覺得稀奇，而是應該還有一倍這樣的壽命。換一種方法說，我們現在並不是要去超越自然，而是要回到自然賦予人本身的壽命。」

無話不說終於開口：「所以我關心這個圓寂、羽化什麼的，生命最終的表達形式。我的疑問是：爲什麼我們這麼多年以來，都不能夠回到自然賦予人本身的壽命？不但回不到，還弄出很多的病？就像一筆遺產，不但沒有回到我應該繼承的人手上，還冒出許多打劫的……」

生的偉大：「那是相～當的鬱悶！不過把鬱悶當作消遣，也就是閒來鬱一鬱，解個悶，把強盜當作一起來打牌的，也是相當重要的良性意識……」

笑……

道長：「你說得對，是什麼阻礙了我們的生命，沒有到達自然賦予我們人本身的那個限定？這也是我們在修煉中要解決的：是我們人在生命中種種的錯認，種種的流失，種種的放棄，種種的背叛，種種的欲求，甚至種種的貪婪，才使得我們的生命簡短到了今天這樣的程度。這是我們中國文化對生命的理解，西方人是很難認同的。所以，關於他們對傳統道教養生文化的質疑，我只能夠用他們的語言、他們的思維方式解釋。我對德國的那些醫學家、生物學家說，現在我們的量子力學、相對論、資訊理論、混沌論，特別是系統論和控制論，剛剛能夠完成對中國傳統道教養生文化的描述。」

小男笑：「這個在我們聽來就吃力了……其中的意思需要強大的翻譯。」

人馬座慢鏡頭般地點頭：「他們承認嗎？」

道長總結：「在德國七天之內，有九個德國醫學界的博士、經濟學界的博士、專家，皈依了中國的道教。」

＊　＊　＊

月亮躲進一片雲彩。院底的小木門被輕輕地、完全地推開了，不再是三三兩兩，而是魚貫地、一串十幾個夾著靠墊的年輕道士們，匆匆忙忙地小跑向二樓的練功房。子夜降臨。看來子夜是他們練功、精進的大好時刻。

道長也上了樓。人們散去了，草地上頃刻空無一人。月光照著空在那兒的椅子們，每張椅子都還保持著剛才那個人坐著的習慣、朝向和姿態：有的人老老實實，有的人喜歡身斜頭正，有的人要舒服，留著長長的雙腿的餘地，有的人心急，椅子也是急匆匆地朝前傾著……

雁過留聲，花開留香，連人坐過的椅子都留著人的性格、習性，怎麼可能這麼喧鬧、生動的生命在經歷過一生之後，一切都無影無蹤了呢？

我被自己這個有點莫名其妙的聯想弄得有點飄忽。我盤算著這個僅由這些錯亂的椅子提供的結論性聯想，耗費了我多少毫克的能量？飄飄欲仙地最後一個閃進了小樓。

辟穀竟然過去三天了，五分之一的路程走過了！我在心裡將這十五天畫出一條長線，「看著」最前端的五分之一，相當滿意，相當有成就感……

回到房間，覺得背上癢絲絲的，癢得奇妙，沒有經歷過，只能夠用「癢」來描述。好半天才想起應該照照鏡子，看是怎麼了。鏡子，映射出背上大片細密的紅疹子！

我張口結舌愣在那裡。皮下出血？還是血液出了什麼問題？小時候看山口百惠的《血凝》，一切的可怕都是由發現皮膚上出現紅疹子開始的……

22

感受一碗麵的豐盛和飽滿

各式各樣的蔥花拌麵、榨菜肉絲麵、大腸麵、豬肝麵、蝦爆鱔麵、油渣麵……以迅雷不及掩耳之勢，在被大雨沖洗過一般清晰明淨的大腦裡面，深情地、堅定地、不可替換地撲面而來。

辟穀的第四天，很早就醒了。醒得很「決斷」，沒有一個「逐漸」的過程，突然就頭腦清醒，然後發現是醒了。大腦像是被雨水沖洗過了，像雨後的風景：清晰，乾淨，沒有一絲的含糊。那是一種很通暢、很痛快的感覺，但是這種感覺瞬間就被淹沒、被拖累到對紅塵的嚮往和追憶之中——

各式各樣的蔥花拌麵、榨菜肉絲麵、大腸麵、豬肝麵、蝦爆鱔麵、油渣麵……以迅雷不及掩耳之勢，在被大雨沖洗過一般清晰明淨的大腦裡面，深情地、堅定地、不可替換地撲面而來。伴隨香氣，還伴隨味道，不能推辭、任怎麼「換頻」也不能夠換掉地定格在腦子裡，無論睜眼、閉眼，它們都頑固地在，隨時拽回企圖繞開的思維。腦子亦然成為一個展示碗麵的大螢幕，所有的思緒像被磁吸了一般不可移動去別處，別無選擇地被糾纏在這些麵條上面……太不可思議了，我從來沒有遭遇過如此這般的「堅決」，我的意志一直在命令「關閉」這些不應該如此蜂擁而至的麵條，應該想些其他山青水綠的事情，但是不知道是「誰」在堅持，堅持這些熱氣騰騰的、香噴噴的碗麵，占據我全部的大腦影像，占據到完全引起我心靈的全神貫注。

記憶原來是這麼頑固的東西，僅僅紅塵的碗麵，就有著比我意志更堅強的「占據力」，可想自有生之年開始，逐漸奠定的種種習慣，從飲食到起居，到想法……看來很多時候是身體一直以來的習慣在完全控制我們的判斷、我們的認為、我們的觀念。天哪，至此時，我才有福爾摩斯偵破出案底、水落石出了的心底一派清明。

跟隨吃的欲望，記憶在自己延伸。從這一碗碗香噴噴、油亮光澤的麵條，演變出它們被製作的過程。背景擴展，在彷彿就在眼前的香味之中，「出現」那些微胖的，操持著麵條，滾水鍋，蔥花，鐵鏟小炒的各路、各門師父，他們晃動的、忙碌著的背影；背景擴展，各式小食店外冷清的清晨，下雨的黃昏，寒冷的冬夜，春天大樹小樹的茸茸綠芽，夏日的濃密樹蔭，秋天的風吹落葉，冬天的茫茫霜雪……在各種景致的土路上、馬路上、小街上，幼年和同學們上學、放學的街道拐角，在各條差異的路邊，總有一家與其他家完全不同、卻又「長得」幾乎一樣的小麵店，香噴噴、滿堂堂地等著……

從來沒有這樣細緻豐富地想過一樣吃的東西。其實，無論是一個寒冷的或者炎熱的，一個陰霾的或者燦爛的早晨，由一碗香噴噴的麵條開始，「肚裡有食，心中不慌」地展開一天，無論在哪裡，要幹什麼，這一天都是多麼的幸福和踏實！然後與陽光或雨水共度，專心地做應該做的事情，正當疲乏或「無味」之時，了不起的中午適時降臨。「了不起的中午」是因為每日都有可選擇（菜式）的了不起的午餐！多麼重要的事情，這個每日都會有的香噴噴的午餐，等待著每一個人的享用。不用很多，僅僅是最簡單的半碗米飯，一盤綠油油的炒青菜，兩片香腸，足以盪氣迴腸！這樣的中午之後，喝些茶，信心十足地再做下午的事情——肚子飽飽的，身體暖暖的，還有什麼是可以沒有信心的呢？無論工作，無論看書，無論會朋友，無論發呆看樹看街景……都是展示著生活這麼、這麼的好。真正能夠享受到一日三餐的好，才能夠真正體驗到生活、活著的好。而貫穿於三餐之間的，還可以有咖啡，有茶，有各式自己喜歡的小點心，有朋友，有書本，有聊天，有讓三餐更有味道的自己的工作。這眞是「生而無憂」呢！滿足於我能夠享受到的，體驗於我能夠感覺到的。如果能夠感受到一碗麵的豐盛和飽滿，一碗麵之中歲月的流逝與凝聚，怎麼還會覺得生活的乏味或者「沒有什麼意思」呢？一切都是充滿興致和希望，充滿美好與樂趣，充滿珍惜與挽留的。因爲美好而想挽留，因爲挽留而生珍惜……但是，我以前怎麼沒有發現這麼簡單的喜悅和獲得呢？怎麼以前老是覺得沒勁？覺得空乏？甚至會覺得連吃飯都沒有意思？到了吃飯的時間不但沒有歡欣，還似乎心事重重？眞的爲什麼不能夠做到「吃飯的時候吃飯、睡覺的時候睡覺」呢？

我回憶起那些在有意、無意間被我浪費掉的食物，那些「算了」的東西，回想到這些，幾乎讓我痛心疾首。而這些記憶，就是這麼清晰、這麼準確地「站定」在我的「眼前」，那些無辜地被我屢屢隨便「處置」掉的東西啊，它們頑固地「站在」我面前，看似也沒有什麼譴責我的意思，但是足以讓我懊悔，讓我滋生羞愧……

我在這些密匝匝圍繞著我的、相關吃的思念中，盤來繞去地摸索到了「珍惜」。這原本似乎也被我「處置」掉了，在我原先看來，生活幾乎每天都大致相同，珍惜什麼呢？我一直以爲今天的「這個」、「這餐」，和明天的「那個」、「再一餐」，都是一樣的。而在此刻，「回憶」讓我隱約知曉，一切都是有個盡頭的。我原本活得多麼的粗略，多麼的不知好歹，多麼的……不知道爲人的可貴！生活的美好，生命之美妙，不是書本中的文句，它們都有，而且並不高遠，也許就悄悄地藏在路邊小店的一碗麵條裡面。在我們幼年的時候，因爲年幼的純淨，我們還會因爲與它的相遇而歡欣、而歡喜；當我們長大，麻木與無視就慢慢地遮蔽了一切。我們甚至面對最應該被珍惜、珍貴的，都熟視無睹了，比如說如同一碗麵條般逐漸會顯得平常了的情、愛、眞誠、善良、信心、誠意。如果連這些完全貫穿了生命高貴的品性都被我們熟視無睹了，被我們像處理物品一般地「浪費」和「丟棄」了，何況一碗麵條？一盞茶？兩片餅乾？生命即是這樣逐漸不堪的，逐漸陳舊到連生的意義都失去了，逐漸乏味到懷疑人生。翻翻我們的記憶，我們珍惜的人，珍惜的事，珍惜的品格，珍惜的東西……還有多少？不珍惜的隨手就拋棄了。就連我們心裡的情與愛，也隨便拋棄了；我們的眞誠和信念，隨便就踐踏了；我們的誠意和善良，隨便就埋葬了。懷疑、懷疑……否定、否定……對立、對立……不是眞的與旁人，與這個世界，是與我們自己，完全地隔閡，完全地陌生，完全地勢不兩立起來。不知道自己的心想要的是什麼，不知道自己的欲望其實並不是那麼大的需要被滿足，不知道人生的美好，原本是簡單到像春天的綠芽，給一點春風春雨，瞬間就是會破土而出的……彼時我那顆不可停止的、浮想聯翩的心，像不知何時被藏在一個很幽遠、很幽遠的洞穴裡面，正在被一點燦爛的光緩緩地穿透。陽光是化裝成爲一碗麵條而來的，呵呵，即便是讓我覺悟，也是有這樣的幽默和簡單。心被藏在那個「幽遠的洞穴」很深的角落，眞誠的覺悟和善良的願望，正在輕輕推動它。它有些難過地搖晃起來。一種木木的、不那麼清晰的難過，在回憶的溫暖和相伴隨著的自遣之間，心終於接觸到穿透而來的光明，它又難過、更快樂地明亮起來。

我不知道這是不是一種「覺悟」。這種讓我愧疚、讓我傷感、讓我美好起來的心的觸動。但是奇怪啊，即便是我現在回述那幾分鐘的心的經歷，我都有內心再一次被觸動的感激與感動，都有心靈的濕潤；而當時並沒有，只有心靈完全不同於平常的清晰和明白，卻沒有「涕零」與「感動」的點滴傾向。就是明白了，從此再不會了，身心輕盈，如沐陽光春風。

大情居然連感動都不讓「你」滋生……

這是無論怎麼描述也難以表達清楚的體驗。一旦感覺到了，就像有什麼給心靈注入了有力的東西，這東西那麼陌生，又那麼強大，只能夠用我們都熟悉的詞「力量」來替代，卻比力量更加厚實，更飽滿，更廣闊。身體瞬間蠢蠢欲動，似乎有偉大的事情等待它一躍而起馬上去做；它（身體）驟然加強了對未來——也是現在，起床之後，白天開始的任何一天的生活的熱情和渴望；它有被卸掉了什麼般的輕鬆和躍躍欲試。但是被卸掉了什麼呢？躍躍欲試的又是什麼呢？我自己也不知道。說了半天的，都是爲了想說清楚的、借世俗的比擬。

我只知道我以後絕不會浪費食物了，絕不會自欺欺人了，不會漠視人的善良和真誠而一味地懷疑和不信任了，不會忽略心的渴望和用一切的美好去滋潤、養護它……

我非常「輕盈」地起床下地。看手機，居然還不到六點。體重肯定又減輕了。我在從北京帶來的兩條早就不能夠穿的「消瘦長褲」和幾件「細小T恤」中，挑選了一條藍灰色牛仔褲，一件葡萄酒紅色短袖T恤，讓它們等候在椅子上，等待我冷水沐浴之後的閃亮登場。

此時我才想起昨夜（實爲今天的凌晨）後背上的紅疹子，觀照它們，不但都在，還似乎又「密佈」了很多。而且，奇怪，連手心上面都佈滿有紅色的疹子。其他沒有任何不適的感覺。我展開手心，琢磨這到底是什麼意思呢？算是身體散發毒素的一種方式嗎？身體像是一座連續用了好幾十年的倉庫，貨進貨出，不用的陳年舊貨也是堆得四處都是，終於有一天進行清理盤點，門窗洞開，陽光透曬，清風吹拂，牆上樑上展露出斑斑的黴跡……

是這同一個意思嗎？

冷水不冷，肚裡沒食不餓，細小的衣服穿套到身上居然還顯示出了寬鬆的意思。我覺得自己挺牛的，事事如意！遂就像個古書中描寫的那樣，沉下氣來練功。日月生輝，大氣湧動，我小小的身體盡己所能，領悟著宇宙的智慧。可能這天大清早就開悟太多 @^_^@，練功又太過凝神貫注，被「宇宙之氣」沖蕩有片刻頭暈目眩，翻腸噁心的感覺！我舒緩下來，謙虛自己目前的狀況，終於按道長規定完成……

在樓下稱得體重：五十．五公斤。辟穀第四天，我已經消失了七公斤。

＊＊＊

嗅覺在滋長，雀躍著像隻脫籠的兔子，隨意捕捉空氣中彌散著的任何氣味。廚房裡面的，陽光之中的，竹林之內的，樹木之上的……萬事萬物都在散發。大地自不必說，泥土都有它自己的氣味，仰望天空，連天空都彷彿散發著清香。從來沒有體驗過這麼清新、這麼廣泛的種種氣味。有些氣味是從來沒有嗅到過的，有些是日常熟悉的，只是在彼時又被加深加重地描繪了。而還有一些飄浮在陽光下、在空氣中的氣味，是潛伏在深深的記憶裡面，連帶著久遠的過去，也牽扯著未來的憧憬與信心。

23
你們吃得太快了！

他們的筷子似乎在盲目地夾菜，根本不等嘴裡的飯菜是否有滋有味地入肚！然後筷子運菜、張嘴的瞬間像刮了一場小型颱風，菜被「呼啦」捲入嘴洞，臉上的神態表明他們的心已經各在他處。真是「吃飯的不好好吃飯」，也許晚上也是心神不寧地「睡覺的不好好睡覺」。

辟穀之後的第四天中午，當午飯的音樂輕輕響起，我不由自主邁向餐廳。體力恢復過來了，腳下又有了力氣，不但噁心消除了，嗅覺還長成了一頭勃勃朝氣的小獸，在空中撲來撲去的，追隨飯菜香味的四處彌散。不是我，是「我自己」不可阻擋地「尋香入餐廳」。我充滿了要看的欲望。

這是否就是道長幾天前說過的「三、四天之後，人的狀態就換了一個風景了」？「在我們生命裡面隱藏著的另一個能量系統——陰性系統，被我們透過辟穀功喚醒了，啓動了」呢？是「生命正在發生轉變，超越平凡，走向生命的新起點」了？

我不知道。不能夠輕易「望體生義」（抄襲望文生義）的吶！我只能夠說我確實精神飽滿，體力充沛，不似四天沒有吃任何的東西，而似天天都有好東西入肚——確實天天、餐餐都有好東西在入肚的。不過那種體力的輕盈，與飯足菜飽的「實墩墩的有力」，是完全不一樣的感覺。難道這就是「脫胎換骨」的過程？

餐廳兩張大圓桌，五顏六色地擺滿了菜。道長從不反對辟穀的人去餐廳，反而從辟穀的第一天開始，就建議我們一起去餐廳「看吃飯」。我一直懷疑是不是道長要考驗我們的意志力？還是……不過道長再三提醒：只能夠看，不能夠動「吃」的念頭。這個緣由我問了，道長的解釋是，「辟穀期間，人的心力很強，意念力量很大，如果對飯菜動了念頭，飯菜的精華會瞬間被吸走，吃飯的人只是走個形式，吃個飯菜形（渣）了！」（我的理解，這和偷竊差別不大，而且還是暗偷，屬於不道德，與修煉背道而馳……）幸而有這些交代，所謂「坐懷不亂」，「坐視不動」，呵呵，修爲也！大多人都會是因爲「看」而動念頭的。

圍坐在兩張大圓桌邊的有二十多個人，其中有五人在辟穀，一眼就能夠看出來，一律戴著帽子，每人的兩隻眼睛都是黑幽幽地晶亮，消瘦得一派仙風道骨！

小男約好是今天晚上開頂。他的午餐和四天前的我們一樣，一個最小容量的、大茶盅概念的「碗」，裡面大約只有一根麵條，兩片菜葉（拇指大小的菜葉）和「大半碗」的湯。他面對「一碗麵」，表面看來一聲不響似乎充滿「道的精闢與修行」，實則我完全了解他內心的動盪！我仔細看他一眼，辯證我的判斷，果然！他看似安寧的面容上馳騁著一種既幸福（「一碗麵」包含著精神的、里程碑意義的）又哀憐（肉身的，想吃的願望因爲越達不到而越加不退縮地瘋狂生長。親身感受）的矛盾神態，一副無奈、無措的樣子。但是在我眼裡，他確實還是「讓我留戀的紅塵」，確實是非常、非常的幸福（再過兩天他自己就會知道這一根小麵的幸福），兩片拇指大小的菜葉和一根麵條，足以架構起我無限懷念、無限嚮往的巨大幸福感了！

然而……我頃刻痛心疾首地發現：他們（道長除外的所有在座吃飯的人），怎麼吃得這麼快呢？吃得這麼草率？所有的食物，所有美味、美妙的菜，一旦進入他們的口中，不是被品嘗，彷彿是被「扔入」了一個叫「嘴」的洞洞，眞的是「進入口中」而不是「放在嘴裡」！他們吃飯的表情，彷彿是在對付一件「實在沒有辦法」、「實在不能夠迴避」的事情！都不如牛兒吃草來得有滋有味！

我幾乎是憤怒地：「你們吃得太快了！」

大家被我驚著般地隨即哈哈笑起來。

眞的是啊，他們的筷子似乎在盲目地夾菜，根本不等嘴裡的飯菜是否有滋有味地入肚！然後筷子運菜、張嘴的瞬間像刮了一場小型颱風，菜被「呼啦」捲入嘴洞，臉上的神態表明他們的心已經各在他處。眞是「吃飯的不好好吃飯」，也許晚上也是心神不寧地「睡覺的不好好睡覺」。可能這才是道長讓我們跟著一起吃飯的原因。看看原先我們自己眞實的人生是個怎麼心不在焉、草率行事的樣子。

眾人：「看你們的眼睛，都快伸到我們嘴裡了！」

我轉頭看胖子，他果然像他們形容的一樣，眼睛都快伸到他們的嘴裡，眼神隨著筷子的移動而移動，灼灼放光，全神貫注！

胖子目不轉睛：「我是在替你們可惜！我覺得你們是在瞎吃，胡亂往嘴裡面塞，都不好好嚼嚼！看你們吃一點都不來勁，還不如我想得來勁！」

與我的感受一致。我暗笑。

我轉身看另一桌上辟穀的那三位，他們倒是根本不看別人吃飯，而像是自己在吃，面前一樣擺放了碟子、筷子，他們正舉著一筷子的菜低頭深情地、長時間地聞著呢，哈哈！

生的偉大：「道長，神仙是不食人間煙火的，煙火就是煮的飯菜是吧，那幾位在那裡聞『人間煙火』，也算是神仙的作爲嗎？」

道長呵呵笑。

我：「你們不知道，看你們吃，比我自己在吃還要幸福。就是你們吃得太快了，很浪費！」

他們笑：「沒聽說過吃快了是浪費，吃不下才是浪費！」

道長：「不，你們錯了，她無意間說的這個浪費是對的。我們很多人其實不會吃，因爲不會吃而導致了很多的問題，很多的毛病……」

大家似乎終於找到理由可以放下碗筷一會兒……

道長：「我們的人生，在這個世界，最珍貴的東西都是最簡單的、最平常的，像呼吸，像吃飯，像睡覺。但是我們大部分的人不懂，所以我們錯過了很多，也失去了很多機會。」

大家紛紛要求：「跟我們講講……」

道長：「比如說吃。她說你們在浪費，是的，雖然吃到了肚子裡面，確實還是浪費了。我們平常根本沒有必要吃這麼多東西，吃多了確實不但是浪費，還給我們帶來了危害。人爲什麼會得糖尿病？很簡單地說就是營養過剩，一個人變成連小便都是尿糖了！災荒年幾乎沒有人會得糖尿病。我們以八〇年代來劃分，八〇年代以前的病大都是營養不足的病，八〇年代以後的病大都是營養過剩。越來越多人得營養過剩病，我們簡直受害於營養過剩了。像高血脂、高血壓、高血糖，都是由於營養太過剩了，造成脂肪堆積。吃得太多太飽，整個人都在冒油，整個毛孔都在排油，包括人的頭髮、皮膚，如果還排不完，手也在冒油，肝臟也變成了脂肪堆積的地方，然後血管、血液中也有脂肪。血脂高就是血中有脂肪，然後就產生了高血壓。高血壓是什麼意思？我們看水龍頭，原本水流很緩，如果把水管堵住一半，水就會射得很遠，因爲這個時候水的壓力大了。血中有很多脂肪附載在血管上面，血管變窄，壓力就大了，容易出現血管硬化，容易中風。糖尿病也是。我們在吃這個問題上有很大的誤解，食物除了能夠供給身體養分之外，它也是有毒素的，食品中存在有大量的毒素，我們的身體在某種意義上一直被毒化著。」

小潔：「那少吃就是少中毒的意思嗎？」

道長：「我們吃飯的方式非常重要。我們身體的能量是透過對營養攝取完成的，我們怎麼能夠在吃的過程中，既吃到了可口的東西，也攝取了營養，又解決了饑餓，而且還不會攝取過多的毒素？同樣很簡單：放慢吃飯的速度，細嚼慢嚥。」

道長夾一塊蘿蔔入嘴，示範細嚼慢嚥。

道長：「我們大部分人平時吃的東西都是過剩的，比如我今天吃了一塊半斤的牛肉，實際上我的身體只能吸收其中二兩的營養，其餘大部分變成大便排走了，或者囤積爲脂肪。我們通常只能攝取食物當中30％的營養，其他的營養攝取不了，因爲我們胃的消化跟不上。大量沒有得到消化吸收的東西如果不能夠被排除，就會在身體內形成脂肪堆積，食物中的毒素就會附著在身體上，慢慢的就是病。而在平時大部分時間，我們吃下的東西還沒有得到充分的消化，我們又吃下一頓飯了。如果我們能夠完成對30％的食物進行充分的吸收，實際上達到了吃三兩就相當於吃一斤。這就需要對食物進行充分的攝取，需要細嚼慢嚥。食物被我們咀嚼得越細緻，越易於我們對食物的深度攝取。嚼的越爛，消化越充分。在咀嚼的過程中，我們唾液裡面的酶充分與食物發生關係，這也是在幫助我們吸收。」

點頭。所有人都在認眞地聽，認眞地記住，但是，時隔三年，我耳聽無數次道長的「苦口婆心」，眼見無數人的認眞聽講表情，認眞點頭模樣，而至今能夠眞正做到道長一再叮嚀的，大約不及1％！絲毫沒有誇張，人的秉性，人的慣性，就是這麼頑固和強大，即使知道了眞理在哪裡，還是「習慣最方便」！

道長：「透過細嚼慢嚥解決了很重要的三個問題。第一，解決了毒素的問題。因爲吃得很少，食物毒素的攝入就少。第二，減少了脂肪的堆積。吃得少，再加上成倍時間的咀嚼，盡最大力量地消化了。第三，精力的問題。我們不是都有這種感受——吃飽了就想睡覺？這是因爲我們吃進身體的東西需要大量的血液集中去消化。如果越易於消化，我們就會越輕鬆。從這個角度上講，少吃避免了能量的過度消耗，人的精力就會好。」

無話不說：「我們吃下去的這30％也有毒素啊，並不是吃得少就沒有毒素了。」

道長：「人有自我免疫系統，人是不怕有限毒素的。但是你吃得多，毒素積累大，還排泄不出去，造成脂肪的堆積，毒素也堆積和累積，就很麻煩了。像我有功夫，一人打三個沒有問題，消化30％沒有問題，但是同時來十個人，我再有功夫也不行了。人的新陳代謝能夠代謝掉有限量的毒素，但是你這麼大的進水口，水管就這麼小，遲早要出問題。所以爲什麼你是糖尿病患者，而我們卻不對你的食物攝取種類進行控制，你知道嗎？只是稍微控制了一點量，也就是緩慢地給你減量。」

無話不說立刻憤然：「你們聽見沒有？正在減量！什麼我吃得比你們都多，那是我聽話，吃得比你們都慢！」

生的偉大：「其實眞正的作用還在於道長給你發功……」

道長：「你錯了。最好的醫生，最好的藥，是你們自己，因爲那是自然，是與生俱來的。有一次辦活動，我遇到了青島大學一位副教授，我看她吃飯時顯得很痛苦，什麼也不敢吃，但又很想吃。我就問她，原來是糖尿病，好在是剛發現的。我跟她說不用緊張，幫她拿了一個盤子，每樣菜都給她夾了一些，然後教她細嚼慢嚥的方法和道理，每一口菜起碼要咀嚼三十六下。只要控制好我們的食量，加以適當的運動和正常的休息，糖尿病不是可怕的病。糖尿病就是我們的身體不堪重負了，過多的飲食，太少的休息，沒有運動，導致身體出現問題。這位教授按照我說的方式，實行不到兩個月，身體就正常了。」

無話不說：「經過辟穀就更好了吧？」

道長：「在辟穀期間，透過這個自然、天然契機的調整，當然是最好的。你是高血壓——」道長轉臉問胖子，「辟穀四天了，你的高血壓怎麼樣？」

＊　＊　＊

胖子面露擔憂：「還是高，居高不下。」

道長：「你有不舒服的感覺嗎？」

胖子：「倒沒有什麼感覺……」

道長：「那你的高血壓是怎麼發現的？經過測量？」

胖子：「對。每次測量資料都高，剛才測量高壓一三二，低壓一〇五，每次測試幾乎都在這個數字上下。說實話有些擔心，你也不讓我吃藥了……」

道長：「不用擔心，現在是以你自己身體具備的能力在給你治病、調整。一旦調整好了，血壓自己就會降下來了。」

生的偉大輕聲：「這確實有點玄，就依靠自己啊？萬一自己調整不過來呢？人的身體也是有好有壞的，有粗瓷、有細瓷，像我們，都是這麼多年自己沒有這樣用過的……」

有人笑……

道長：「不用擔心，身體的能力一直都具備，一直都在，只是你們不是很知道，不信任它。從辟穀開始，對於身體的使用是一個很高的起步。如果辟穀之後也堅持練功的話，你們會發現有完全出乎你們意料的身體表現。對於身體的病症來說，見效會更快。」

人馬座：「從來都沒有練過功的人，身體自己也能夠調整像高血壓這樣的難症？」

道長：「辟穀本來是煉丹過程中的一個中間環節，之前要有很多時間的修煉。但是辟穀是一步到達，你們身體的起點已經很高了，（笑）就像插班生，你們從幾乎不認得字，一下子就竄到高中。如果把高中的課程都學好了，再反過來看國中或者小學的功課，就很容易了……」

小男微皺著眉頭一直在琢磨：「道長，這個還是在『養身』，你不是說道教是『養生』嗎？」

道長：「生命的品質與身體的健康難道沒有關係嗎？身體的健康是道教養生的第一步。『養生』是中國道家文化獨得的一個密典。這個世界上所有的宗教都講究『彼岸世界』，天主教、基督教都有大家知道的『天國』、『天堂』，佛教是『西方極樂世界』。道教除了有這些彼岸世界之外，還有一個基本的精神，是『今生成就』。道教的『今生成就』帶給我們的是轉換今生的生活品質，或者說生活品質，從我們的現實生活出發，把握我們的生命與道的迎合。所以，擁有一個健康的身體是第一步。」

小男點頭：「這倒是。如果身體不好，再生個什麼病，一切都免談了，還有什麼心思修煉啊……」

道長指了指餐廳外的牆上：「院子裡面的那面牆上，就是我們的文化特色，上面描繪有道家的修眞圖。」

那面在白天時時與我們相伴的牆，我們印象深刻。

道長：「中國的道教與世界一切形式的宗教有一個重要區別，就是重視人在世間的今生成就。道教認爲，生乃道之別體，修道在於保性命之眞，奉行的是生道合一。我們強調『人身難得』，身生就是修道的最好根基，不寄超脫的希望於來世或者天堂。所以幾千年來的修道實踐，本身就是一部養生祕典，無數人因此病者康，康者壽，壽者仙。我們知道，現代科學沿著人體功能的探索走向細胞領域、基因領域，不斷嘗試著用外力介入的方式影響和改變生命的狀態，而道教的先行者們則在幾千年的探索中，由人體功能的探索走向生命精微物質精、氣、神的把握和修煉，透過內在生命物質的自我轉變，達到精滿、氣足、神旺的『三全』生命機能，使生命體根深柢固，邪不干正。這個修煉和轉變，就是道教煉丹的過程。道教的先行者們爲此寫出了許許多多的理論和實踐的書籍，道教稱之爲丹經。道教講究『仙道貴實』，透過導引、胎息、服氣、辟穀、性命雙修等修持祕法，一直在從事著人體功能的科學實驗，和因人而異的實實在在的工作。這些工作不僅使古往今來無數身患絕症、求醫無門的患者找回了生命的春天，更爲我們開啓了通向生命終極奧祕的窗戶。」

智慧絕頂的人馬座頻頻頷首點頭：「道長，你說得眞好。但是我還是想問，你說的這些，能夠有一些例證嗎？」

道長：「道教的今生成就在《老子》、《莊子》裡都有詳細的描述。在有生之年，透過『觀』而『歸根復命』，透過『抱一爲天下式』，從『外天下』入手，經過『外物』、『外生』、『朝徹』、『見獨』、『無古今』，而後『入於不死不生之地』，這就是今生成就！」

小男不斷點頭，並舉起雙手：「道長，請你說慢點，你說得太快了，我們聽著爽快，但是有一些聽不懂……」

確實，道長快速的語言夾雜著我們並不是十分熟悉的重慶口音，很多字的發音都過後一串了才找回是什麼意思……

無話不說：「尤其是要照顧我這樣的人，本來就不識字，還沒有做成插班生，更聽不懂了……」

道長溫厚地笑，有點一籌莫展，不知該從哪兒重新入手、重新解釋。

胖子：「道長，你就再說說『今生成就』，在我們這些凡人的理解裡面，今生成就應該是什麼？」

生的偉大笑：「是啊，道長，你剛才說的什麼外物、外生啊，無古今啊……不死不生什麼的，可能也只有人馬座能夠聽個半懂！因爲雖然他有超強的理解力，但是他絕對沒有強盛的記憶力！他記不住，就沒有東西可以去理解了……」

人馬座笑：「瞎說！我的理解力也是超弱的，比記憶力還弱，都是來不及理解……」

道長：「好吧，那我還是再說說今生成就。『今生成就』這個過程最重要的是什麼？是時間、經歷和感悟。所以必須透過一系列養生方式，首先解決『壽』的問題。孔子有『七十而隨心所欲不逾矩』的感悟，已經就是『明明德』的境界。孔子是聖人，七十歲就做到了。那麼對於普通人來說，再假以時日，到八十、九十、一百二十歲乃至一百五十歲……在人應有的自然壽命以後，到了這個年齡，應該不僅僅是『從心所欲而不逾矩』了。那些優雅而飄逸的老人，他們超越了所有的幼稚和愚蠢，坐忘、心齋、懸解、見獨……他們是智慧的源泉。他們可以教我們如何愛、如何快樂、如何優雅地變老、如何喜悅地死去。當老人『終其天年』後回到天尊慈悲的本願大海，回到他們生時就早已清楚地了解和熟悉的歸宿，他們早已『復歸於樸』，剩下的只是最後的融入。道教經由養生，使病者康、康者健、健者壽、壽者仙，正是『無量壽福』！壽是第一位，有了壽，其他就會自然而然地自動發生！這是無爲，是道法自然！」

亞女：「昨天我們來了之後，就讓我們練站樁和導引術，今天上午也練了，這是道家的功法吧？是不是爲了提升生命品質、走向長壽？屬於『今生成就』嗎？」

道長：「導引術是中國道家修行方法中很基礎、也是很有特色的一種方式，是針對我們現實生活非常重要的修行技術。你們理解這三個字的涵義嗎？導引術的導，是導向的意思，引是指引方向。進入到道文化的修行領域，第一個接觸到的，一般都是導引術。我們現在生活中最常見的病是什麼？最普遍的是人們的亞健康狀態。亞健康狀態最大的特徵，是身體的血循環功能不暢，於是心臟缺血，頭腦缺血，周身的末梢神經缺血。這種血循環功能不暢會讓我們感覺到什麼呢？容易疲勞，脾氣非常暴躁，全身有說不清楚的不舒服。但是如果去醫院檢查，一定查不出有什麼病。這種現象的一個主要原因，就是身體的氣血難以正常地達至我們周身。而平時由於我們對自己身體的認識不夠，失去了對身體最基本的關愛，更缺少對身體的一個整體關照，大家紛紛吃很多補藥，甚至還有補血的藥，希望借助外在的東西來影響和改變身體的狀況，但效果基本上不大。而在幾千年前我們古老的道家先人們，已經總結出了這套方法，提供給了我們全面的知識。」

道長停住，看手機時間。

眾人紛紛：「道長，你說完我們再散，正說到緊要關頭……」

道長笑：「我們是說不完的。都過一點了，已經說了很長時間了……」

是的，十一點半進入餐廳，吃飯才用了半個小時，到現在已經將近兩個小時了。

道長：「我們先回去練睡功，下午還有站樁和導引術，然後我們再接著講……」

小潔憂心：「你不會忘了吧……說來說去又說其他的了……」

人馬座：「是，這種聊天的形式，太容易打岔了，總不能夠盡興地聽完，話題老是轉來轉去……」

道長微笑，沉吟：「這樣吧，今天晚上八點，我們準時在練功房講座，就不是像在草地上比較散漫地聊天了，我來擬定一個每天的講座課題，今天先講導引術的功法，這樣行嗎？」

幾近歡呼：「這樣好……」

散去。

* * *

中午的睡功之後，是下午兩點練功房的一起站樁、導引術，然後就是常月幫助我們做身體的調理。一切忙完，已經接近黃昏，下午四點半之後了。

我居然眞的就再也沒有過頭暈、頭疼、低血糖的徵兆。體態輕盈，精力充沛，只有在上、下樓梯的時候有些氣喘。還有在起立、走動的瞬間，有強烈的心跳，短暫的暈眩。

講定了晚上八點的講座，這天下午就再沒有見到道長。我們調理完，補充完體力，就在院子裡的「健康步道」上光腳「步道」，這也是道長希望我們每天下午的「一走」。健康步道上面一粒一粒豎立著的小尖鵝卵石，踩在腳底又酸又疼，還有麻辣的感覺。我問常月，爲什麼道長強調我們天天要走一下這個「尖刻小道」？常月說，因爲人體所有的內臟在腳底都有反應區，透過走健康步道，實則就是按摩了腳底，是一種用反應區調整身體狀態的方法。不斷地去走去刺激腳底，對身體就有不斷的調節作用。

於是每當中午的飯前飯後，或者下午的這個時候，這條小小「步道」就成了挑戰者時刻，光腳走在上面的人神態各異，尤其是胖子和無話不說，那就不是在走道，完全是在過火山，或者不知道是在做什麼，常常就是看他們兩個胖子，才走了一步半，就扶牆站在那裡，「啊……啊……呀」地叫喊起來，似在唱誰也聽不懂的「山歌」，之後半天，才舉著手哈著腰再往前挪動一小步，又「啊……呀」地唱半天。觀者大笑之後覺得不可思議，也紛紛脫鞋脫襪地下到「健康步道」。於是山歌者「眾」了，無非「唱」得短促些，「步得」快速些的差別。

那些時光的山上，眞是出乎意料的熱鬧。生的偉大總結：「你們這麼修仙，眞的神仙早被你們嚇跑了……」

24
導引術

道長：「透過導引術，使氣血達至我們生命的每一個環節，達至我們生生不息的、活的生命之中，使身、心、靈的環境得到很好的提升，這就是導引術的整體涵義。」

辟穀第四天的晚餐，我克制自己，沒有去餐廳。我在房間，面對窗外的天空，站著，坐著，練功。在轉換功法的間隙，心還是會不由自主地遊蕩到了餐廳，鼻子「分析」著彌散在空氣中的濃郁菜香，由此判斷著圓桌上種種極具誘惑的菜餚。這眞是對意志、對擺脫習慣的約束和控制的考驗。北京的一個畫家朋友在聊天時曾說，「毒品不是單指海洛因之類的，是指控制了你的東西，而海洛因是一切之中最難以擺脫控制的。難道手機不是毒品嗎？電腦？網路？一日三餐？愛情？酒？菸？水？你依賴什麼，什麼對你而言就是毒品，因爲這個你依賴的東西完全控制你了……」

現在想來，這話也不是完全的嘩眾取寵，獨樹一幟，確實有一定的道理。我們被一種生活的習慣控制了，可能這種「習慣」就是我們一生無法擺脫的毒品；我們依賴住了一個人，一種感情，那這個人、這個感情就是我們一生的「毒品」，人生的悲與樂，無聊與意義，都由此因「他」（她）而生；如果我們強烈地依賴了一種工作，工作的成與敗已經不是工作本身，伴隨工作滋生愉悅或者孤單、是與非，都成爲我們心靈的巨大影響，成爲人生的輝煌之途，或者羊腸小徑，或者絕境。更不用說菸、酒、咖啡這樣的小東西了。心靈原本可以完全自由馳騁的人，大多數時候被一種生活的、情感的、工作的、習慣的「調性」控制了。這種「調性」，既來自他人的影響、留傳，更來自自己的「養成」。因此習慣成了自然，心靈越來越與日常糾集在一起，遍及一日三餐柴米油鹽歡愉憎恨成功失敗的世俗塵囂，像個使用了一輩子的廚房，不乾淨，油膩，黯淡，不能超越，無法擺脫。僅僅是五味、六欲、七情這幾個數字，就似油瓶、鹽罐、醋缸一般，迷惑住了我們漫長（也相對瞬間）的一生。辟穀，是不是就能夠讓我覺悟到因誘惑而產生的擺脫聯想呢？擺脫一種習以爲常、無知無覺的控制，從這十五天的擺脫一日三餐開始，換個角度看待生命？

也許吧。起碼我心裡是在寄望著這個「也許」。也許擺脫了一些，心靈就可以騰出一些地方，就可以「乾淨」一些，就能夠輕盈起來……

＊ ＊ ＊

借晚飯之後到八點之間的幾分鐘空隙，我又下到一樓量體重。我每天都在記錄，我擔憂以這樣的速度消瘦下去，失去的（體重）乘以十五天，依照這個計算法，事情（體重）有點荒誕的戲劇效果了：我將所剩無幾……

遇到了同樣關注自己體重的胖子。他正「牢牢」地像被黏在電子秤上，旁邊圍觀著一圈「見證人」。我探頭看：他的體重已經降落到了八十八公斤。他快活得演講起來：「我從三十五歲以後就超過九十五公斤了，以後一直在九十七、九十八公斤之間徘徊，負擔太重了！身體負擔和心理負擔！看看我今天，八十八公斤了！四天減去了十公斤！信不信？來，都過來看看，我沒有看錯吧……」

生的偉大：「十公斤的肉去了哪裡？不小的一塊……」

人馬座拍拍胖子：「你相當不錯啊！四天不吃飯了，我今天看你上樓梯居然還可以跑著上樓，我天天吃飯都跑不動……」

胖子：「知道我原來上樓多費勁嗎？我重量大，膝關節都壓得疼……」

生的偉大：「我也看見了，你還是兩個台階、兩個台階地上，厲害……」

胖子摸著明顯癟下去的肚子：「神吧？我都四天沒吃任何一點東西了，照理應該躺在床上走都走不動了，還像我這樣？」

我站到電子秤上：眾目睽睽，我又減少了一公斤多！

生的偉大看看秤面的數字，又看看我：「按照這樣的速度，十五天之後，你就回到十四歲了，哈哈……」

＊ ＊ ＊

晚上八點。

練功房裡已經「遍地」坐滿了人，每人一個蒲團。洞開的窗子外面是沉沉黑夜。假如沒有霧氣，我們在這個練功房裡能夠看見山下高速公路上細小、緩慢移動的車燈；如果彼時高速公路上有人抬頭遙看縉雲山，也能夠看見被沉沉神祕黑夜吞侵了的夜空，在遙遙山頂上，也有一絲星辰一般細弱的閃亮，那就是二樓練功房內我們相聚著、坐而論道的燈光。

道長坐在兩個蒲團之上，這樣，我們每一個人都能夠看見他，能夠隨時和他交流。

道長：「按照我們中午的約定，從今晚開始，我和大家講講我們中國幾千年傳流至今的、中國至古至璞的道教修行中的基礎問題：道教的養生。」

有人情不自禁地鼓掌，更多人紋絲不動地看著道長，害怕連鼓掌都會打斷道長要講的話。

道長：「……希望大家能夠放下所有山下的、心裡的事情，能夠融入我們修煉的心境中來……」

一人快速地：「道長，直接先講導引術。因為其他我們還接觸不到，這個我們天天在做……」

道長笑：「好，那就直接先講這個大家已經接觸到了的、天天在做的導引術。導引術第一節是『布氣摩面』，是用雙手的氣場，輕輕滋潤我們的面部……」

我注意到道長使用的「滋潤」一詞。在我們做導引術這第一個動作的實際過程中，是雙手輕輕撫摸我們的面部。可見物理概念的面部「撫摸」，與心理層面的「滋潤我們的面部」，根本就不是一個意思，雖然是同樣的一個動作。

道長：「……它最神奇的功效是能夠在短短十五天和三十天內，改變我們的容顏。通俗地說，首先它能夠改善我們臉上人人都害怕的皺紋；第二是幫助我們，使我們容易受到色斑侵襲的面部發生變化。這種古老的技術，中國人叫『駐顏術』。我們中國有個古老的詞叫『鶴髮童顏』，就是說一個修道的人，即使年紀很大了，還是具有兒童的容顏。導引術第一步的布氣摩面，就是引導我們的氣血滋潤我們的面容。

「第二節『夾鼻』。這是迄今為止全世界唯一能夠深達至我們鼻腔深處、使我們的鼻管、呼吸道做內運動和內按摩的一種技術，除此之外，沒有任何一種技術方法可以使我們的運動深達到鼻腔黏膜深處。這對鼻炎和鼻癌的預防是非常有效的，認眞做，當我們在噴的時候一定要用力，一定要有那個『噴』的聲音……」

道長雙手掌心向面，夾住鼻翼兩側，驟然鬆開，噴氣，示範給我們。

道長：「看見沒有？一定要有這樣的力度。如果你們出於文雅的考慮，或者不好意思，那就錯了，就不會有效果。噴的時候一定要聽到聲音……」

「第三節，這個動作的目的是幫助我們改善腦循環功能，也叫推宮過穴，是讓我們的氣血滋潤大腦循環系統。」

道長又做一遍，示範。

道長：「第四節，是非常神奇的，也是迄今爲止全世界唯一能夠對人的內耳膜進行鍛鍊的方法。當我們的雙手從耳朵上拔開、自己聽到『嘭』的一聲那一瞬間，我們內耳的耳膜就得到了鍛鍊。不少的修行者能夠感覺到耳部有脹痛和刺痛，這就可能表示你有耳炎的前兆。道教的修行可以幫助我們到了年紀很大的時候，依然還是耳聰目明。我們知道一個人老了，首先是腿腳不方便，然後是聽力衰退，然後是智力衰退，記憶力、注意力下降。這一節可以保持我們到老了都有像年輕人一樣的聽力。

「第五節是梳頂，這是幫助我們的氣血往頭上走，是促血上行。」

道長示範動作。

道長：「之後是第六節。特別要注意、要提醒你們的是這第六節的拍頭，我們拍頭的時候不能夠用實心的手掌拍，一定要收空手心，用空心掌，像這樣——」

道長伸出雙手，然後弓起手背——

道長：「手掌微微地空起來，拍打我們的頭頂。這一節，辟穀的幾位不能做，因爲你們的天門開著。其他人做這一節，每次拍打頭頂三十六下，這意味著你們將終生避開一個嚴重的疾病——腦血管的疾病。但是一定要用空心掌拍打，而且還需要用點力，這樣頭是拍打不壞的，能夠幫助我們的大腦……」

四周響起一片劈啪拍打腦袋的聲音……

道長：「第七節，扣腦。當我們的雙手在後腦勺用鳴天鼓的方式叩擊腦的時候，我們會聽見一種像是空山的鼓聲，就像空山中一個很空靈的聲音在我們的腦後響起。耳鳴在現代社會中已經成為一種很難治癒的疾病，嚴重的甚至上高壓氧艙都無法治療，而我們這個小小方法就可以調節它。如果你們家中有小孩，一定要記得把這套方法教給他們，因為對於孩子，能夠改善注意力和記憶力；如果是老年人，教給他們，他們在年老的時候，思維會保持清晰。這一節的重點是提高腦力。

「第八節在做頸部運動。我們的頸椎是人體非常重要的部位，相當於是人體的一個中轉站。我們的頸椎某種意義上講是我們陽脈——督脈中陽脈最重要的穴位之一。在對這個穴位的刺激過程中，我們會體會到整個人的氣血在體內的一種昂然運行，共三十六下。

「接下來是我們的浴手、浴身、浴腿，這個實際上是整體的一個拍打，它的功能，簡單地說是對去除風濕、增強我們的臟腑和機體功能有直接作用。要記住的是，同樣使用空心拳，好像手心裡面捏著一顆雞蛋。萬萬不能用實心拳。

「非常重要的、也是最主要的是浴腰這一節。在中國道家有一句話叫『命意源頭在兩腎』，我們的潛能儲藏在腎功能裡面，當腎上腺素急劇分泌的時候，我們將產生無窮的潛力。我們有很多方法來強壯腎臟，在日常生活中，民間流傳的補腎方法往往是以形補形，用動物的腎臟來彌補我們的。也還有一些其他的方式來補腎。在中國古代，我們導引術裡面這種暖腎的方法，比任何一種方法更有效、更直接，而且不需要任何的補品，不需要花什麼代價。導引術裡暖腎這一節，必須在前面動作的全部連貫之下，運行到這裡的時候正好這個周天到了你的腰部。雙手按在腰部的時候，掌心不能滑動，一直到雙腎感到溫暖的時候，正旋三十六和反旋三十六。手和腎的接觸部分不能動，但是要揉動皮膚。這時就能夠起到暖腎的效果，對腎有極好的作用，特別是對女子的婦科疾病有很大的幫助，對男子的腎功能提高也有極大好處。這是藏在中國導引術裡面的千古之謎，暖腎的技術。

「接下來是浴肩背和浴丹田，分別是對我們肌體的改善。

「浴丹田之後的懸照，以及最後一節收功，對改善便祕、痔瘡都非常明顯，對腹部的疾患也有很直接的影響。我們的收功如果收好了，對於痔瘡的治療會很顯著，哪怕正是痔瘡的急性發作期，在一天、兩天之內，症狀馬上會退下來，甚至立刻治好，是非常好的一種治療方法……」

不少人都在依照道長的關照，嘗試自己動作帶來的感受。道長靜靜坐著，看著大家。

一人：「道長，你能不能說說整套導引術的優勢？」

道長：「導引術指導的是氣血在我們體內的巡行，是引導氣血在我們的體內做全面的運動。其要點是，第一，周天巡行，從第一節的布氣摩面開始，到最後回到我們的丹田是一個周天的循環；第二，它是『內三合』，是內在身、心、意的相依相合，我們外在的動作是帶動氣的運動，然後氣的運動又融合意的運動，這三合缺一不可。所以做這套功的時候一定要意念集中，不要心不在焉地想其他的事情，這樣效果會打折扣。要做到我們的手到了哪兒，意念就到了哪兒，氣血就調到哪兒。在平時，我們的氣血根本就跟不上我們自身。我們生活在這個世界上，我們的節奏太快了，我們爲生活所累，爲城市所累，從某種意義來說，我們都已經是魂不附體了。講個小故事，歐洲人第一次進入非洲的時候，請當地的土族人帶路，但是走了一會兒，那些非洲的土族人就要停下來休息一會兒，給多少錢也不往前走了。歐洲人很奇怪，問爲什麼要這樣？土族人的回答是：等一等靈魂，讓靈魂追上他們的肉體。」

眾人驚詫。

道長：「我們很多時候太快、太過疲勞的時候，眞的是一種麻木不仁、魂不附體的生活，我們太缺少對生命自身的關照。關注我們的身體，用生命回歸的技術來幫助我們，透過導引術，使氣血達至我們生命的每一個環節，達至我們生生不息的、活的生命之中，使身、心、靈的環境得到很好的提升，這就是導引術的整體涵義。」

無話不說嘆了一口氣：「道長，我們剛來這裡的時候，你就應該先告訴我們這個。我都沒有怎麼好好練，這一星期算是浪費了！」

生的偉大笑：「你四十年都浪費過來了，還在乎多浪費一個星期嘛！以後你將全部得到！」

眾人又開始七嘴八舌議論，感慨……

亞女：「道長，我們每天早上練習的行步功呢？這個功是什麼意思，能夠跟我們講講嗎？」

道長：……

25

感謝你的糖尿病

道長微笑：「這個在我們人生中始終把握我們的東西，我們將為之修行的東西，它對於我們的入手點，一定是從我們的身體開始。什麼意思呢？對於你來說，這個東西也許就是被你憎惡和恐懼的糖尿病，可能糖尿病就是你人生最大的緣分，就是讓你對自我的把握清醒。你應該好好認識你的糖尿病，並且由衷地感謝你的糖尿病！」

道長：「行步功是我們治療呼吸道疾病，特別是治療癌症的一個很重要方法。在行步功的練習過程中，很多的癌症病狀都得到了改善。行步功的另一個名稱叫健肺呼吸法，這個功法在以前也是不輕易傳授的，我們是在SARS期間把這個功法和『華真人避瘟香』同時貢獻給了社會。『華真人避瘟香』在當時還被重慶市SARS防治領導小組用於一線醫護人員的防護用品，和SARS病人治療的輔助用品。」

亞女：「我們練習行步功，需要掌握的要點有什麼？」

道長：「行步功練習的是中國道教的一種吐納技術。有一個成語叫『吐故而納新』，大家都知道吧？這個吐故納新是我們生命基本運動——新陳代謝的最核心理念。我反覆說過，我們生命中最珍貴的東西都是最簡單的，像呼吸、像細嚼慢嚥等等。很多的疾病，我們透過呼吸就能夠觀察到它的狀態。我們觀察一個練功的人，觀察一個長壽的人，或者想要知道這個人的身體是否健康、是否長壽，觀察這個人的呼吸就知道了，如果他的呼吸很勻稱、很舒緩、很悠長，這個人一定長壽，一定健康。我們都到過醫院的急疹室吧？觀察醫院急疹室裡面那些被急救的病人，他們的呼吸一定是很急促的，無論他們是否戴著氧氣面罩。呼吸本身就是一個指標。」

有人嘗試深長的呼吸……

道長：「你吸氣的聲音太響、太重了，要均勻、細長、無聲最好。

「我們的疾病是怎麼開始的？我們的毒素爲什麼不能夠有效地排出去？什麼是疾病的萬病之源？要回答這一連串問題，一定要從呼吸道開始。我們的呼吸，實際上是一個非常核心的生命指標，最高層次的呼吸是胎息或者龜息。胎息是模仿胎兒在母體裡面可以停頓呼吸。一般的呼吸，我們力求要深、長、勻、緩，透過深長勻緩的呼吸來延年益壽。在行步功中學到的呼吸功法的核心是——吸、吸、呼。在SARS流行期間，用了我們這套功法的人，沒有一個得到SARS，而且有的人肺部的疾病也得到了調整，尤其是很多慢性的疾病。」

人馬座深吸一口氣：「原來僅僅呼吸就這麼重要！」

道長：「對。在《黃帝內經》裡，黃帝第一次提出了眞人可以活到八百歲，甚至活到一千歲。眞人是怎麼呼吸的？眞人的呼吸在哪兒呢？『眞人之息以踵』，踵是腳後跟。眞人的呼吸可以到達腳後跟。而凡人之氣在胸，我們最大能力只能做到胸式呼吸。而我們現代人的呼吸，像你們，只停留在了喉部，呼吸到了喉部就停止了。你們都不知道深呼吸的作用。在呼吸的時候，注意力不要下降……」

大家不約而同深深地呼吸……

山上下雨了。洞開的窗外傳來雨劈劈啪啪、淅淅瀝瀝掃在樹葉上、屋簷上、草地上的聲音……

道長：「我們經常說有氧運動和無氧運動。實際上，我們的身體已經慢性缺氧了，慢性地進入了一種厭氧症。有些時候我們的思維像短路了一樣，感覺到頭痛，懶得去想什麼，感覺到頭暈，要依靠咖啡、香菸或者其他方式來提神。我們得的疾病也很古怪，現在有很多的高壓氧艙，把人放到裡面，人工加氧。現在還有更先進的方法和技術，把人的血抽出來，在機器裡面給它加氧，之後再把血送回到肌體裡。所有這些都只能暫時改善症狀，而且這種暫時改善症狀的方法並不符合人體、生理的正常功能程序。我們每天早晨的吸、吸、呼，就是練習呼吸的方法，非常簡單，任何人只要在一個有新鮮空氣的地方都可以做，不需要儀器，不需要什麼特殊的技術，也不需要有巨大花費。「吸、吸、呼，用的是一種強迫的方法，吸完氣之後停下來，再吸一口氣，這是人體的自我充氧。『吸吸呼』和『呼呼吸』分別是治療兩類癌症的根本方法，一種是陰性的，一種是陽性的，從這兩種呼吸方法的訓練就能夠使很重的疾病得到調整。」

無話不說又開始懷疑：「說得倒很有理，但是我覺得依靠吸、吸、呼預防什麼疾病，讓身體身強體健什麼的，倒還有理；如果依靠呼吸就能夠治療癌症，這是不是有點抬舉了呼吸的作用？」

道長：「我反覆在強調一個你們至今都不大了解、都不願意相信的眞相：我們身體中最大的防禦系統是什麼？我們最需要的醫生是誰？」

無人回答。

道長：「我們身體中最大的防禦系統是我們的自我免疫系統，我們最需要的醫生不是別人，是我們自己。我在歐洲講學的時候同樣反覆在講這個問題：誰，是我們眞正的醫師？

「現在大家都已經習慣這樣，一生病的時候就吃藥，似乎藥能夠幫助我們把病治好。還有那些儀器，可以測試糖尿病的檢測儀，測量高血壓的，還有一些影像設備能夠告訴我們身體的資訊……我們離得開它們嗎？我們的生命被數位化了。但是我們應該知道，系統永遠大於局部之和，這是一個最起碼的概念。我們大都忽略了生命中最寶貴的東西：誰在治病？舉一個簡單的例子，按照西醫的說法，傷口在感染之後要消炎、用藥，然後才會癒合，那麼是不是可以理解成爲是醫生給我們用的藥，使我們的創口癒合了呢？我想大多數人確實是這麼認爲的，所以凡是有了創傷，一定要去醫院。如果藥的作用這麼大，大家不知道這樣聯想過沒有：爲什麼一具屍體上的創傷，用了相同的藥卻永遠不可能自己癒合呢？」

大家愣在那兒，確實從來沒有過這樣的思考，沒有過這樣方向的思考……

道長：「眞正對身體起癒合作用的不是藥，哪一種藥都不是，而是身體自己。藥也不是止血的，止血的還是身體自己。藥的最大作用是在幫助身體功能的。這就是爲什麼藥用在一具屍體上是不起作用的。但是現在，這個身體與藥的概念被我們完全顚倒了，我們在觀念上不再依靠自己的身體，而把全部希望都交給了醫院，交給了藥品。要深思我們的自我免疫系統和凝血機制對於身體眞正的作用。」

寂靜。也許大家就此開始思考自己身體蘊藏著的可能能力；也許我們都像是一群被道長的語言和思維帶領著的遊客，跟隨他的思路，漫遊在似乎熟悉、實則陌生的地方……

道長：「一生中最核心、最重要、最關鍵的醫生，是你們自己。你們是這個世界上、你們自己身體最好的醫生。藥物發揮作用的前提永遠是依託於你是一個鮮活的生命體，反之則毫無一用。這說明我們存活的生命體自身的免疫系統，是治療疾病正面的、主要的力量。藥物介入到我們的生命，並不是說藥物的作用大到可以脫離我們自己這個系統，它只是我們這個系統在發揮作用的時候起到了一個幫助的作用，就是我們吃的東西裡面放的佐料，但是這個佐料被大家絕對化了，被當作絕對的主食了。我們把自己最寶貴的生命交給一些事實上並不了解我們的陌生人來處置，而什麼事情一旦進入商業軌道，那將是非常冷漠的。大家都有去醫院的經驗，對這方面應該都有深切的感受。如果你是一個被認爲有社會名望的人，也許待遇會不一樣，但是我相信那也是付出了金錢的代價。你們還記得一個普通老百姓去到醫院，那會怎麼樣？我並沒有在攻擊誰，我只是說有一些事實對我們很重要，我們的生命對我們自己很重要，但是我們自己卻不明所以地習慣了把生命交給了一些數據、一些機器、一些實際上商業化了的機構。」

靜默。

道長：「在這裡，我希望能夠教會大家一些確實的東西，就是學會從另外的角度，更接近我們生命需要的理論，學會一些思維的方法：一定要知道你們是最重要的，能夠拯救你們的，是你們自己！你們要知道這個世界上有最最精密、最最科學、最最智慧的一個機器，這個機器就是人，而這個人，是你自己！在這個世界上沒有比你自己更可貴、更有價值的東西了，其餘任何東西都是人發明的。但是我們對人並不認識，甚至不知道人本身就包含了將近五十億年以來的生物進化的全息，本身就與宇宙息息相通，人本身就是宇宙的一個細胞。我們忘記了這一點，連鎖產生的更糟糕的是忘記了對自我能力——有些是潛能的認知與發揮。希望大家能夠更深層次地認識自己，發揮自己的潛能，發揮生命本來就有的、福有的東西。就像腹瀉，我們不吃阻止腹瀉的藥，腹瀉就會停下來。當我們的病菌被有效地排除了之後，腹瀉自己就會停下來，而那時候我們的身體會更好。當我們發燒的時候不吃退燒藥，我們也會好，而那個時候身體會更好；我們打噴嚏是爲了把更多的病菌排出體外，我們發疹子，出現了香港腳，這些也是因爲我們的身體要排毒……這些我都是反覆跟大家講過的。要相信你們自己，相信我們自己。而道家的修煉，是實踐怎麼樣去把我們的生命天賦能力發掘出來，而不是去依賴外界的東西介入我們的身體。」

＊＊＊

無話不說：「原則是不要隨便用藥，或者根本不用藥。」

道長：「我們身體有很高級、很完善的自我免疫系統、自我治療系統。我們身體的系統在健康狀況下完全可以消滅癌細胞的滋長。藥，只是對我們身體需要時候的幫助，而不是像我們現在這樣絕對地依賴它，任何一點風吹草動，哪怕是正常身體表現，也是先吃藥再說，一定要改變這種依賴和觀念。所謂健康，就是讓身體的系統正常地工作，首要就是我們的身體要有充分的氧。現在的人幾乎都有慢性缺氧症狀，特別是胖的人，因此一定要重視呼吸，重視呼吸的訓練，這個在平時任何時候都可以做，只要你重視到了這個問題。而如果每天早上能夠在空氣很好的時候做一遍『吸、吸、呼』，對你們的身體、對你們的健康，一定更有效果。這樣就能夠盡可能有效地幫助我們在慢性的缺氧過程中，在厭氧症的狀態中，爲我們的身體充氧，使氧有機地巡行到身體各處。當我們的身體獲得了這些充足的養分之後，就會自動排除毒素，吐故納新。這是有效解決亞健康狀態的一個良藥……」

一人：「如果在自己的家裡，在客廳，或者我在臥室裡練吸、吸、呼，可以嗎？」

道長還來不及回答，生的偉大：「那有什麼不可以的？我建議你還可以把健康步道也修建在家裡，三百顆小石子，直接從臥室鋪到洗手間，必經之路，你每天必須走很多遍，不走也得走，你就相當地健康了……」

大家笑……

無話不說嚴肅地以一貫慢悠悠的語氣：「要是我，從一進門，全部都做成健康步道，每一秒鐘都得踩，天花板都做成小石子，閉眼前讓意念踩……」

小男笑：「那不叫閉眼前，叫睡覺前……」

道長笑著：「這樣的絕妙方法，只有你們能夠變通出來。不過你如果能夠在房間裡練習，總比在哪裡都不練習要好。今天已經講了兩個小時，我們再用半小時讓大家提問題，因爲一會兒小男要開頂，他今天開始辟穀。」

無話不說舉手：「道長，我先有疑問。第一，老子練不練功？第二，道家的這些功法，是在學術理論之後才有的呢？還是很早就跟理論一起產生的？」

道長笑：「我先回答你的第二個問題。道家的功法和理論，應該是同步產生的。上古之人認識世界、宇宙的方法，和我們現在借助外界的儀器來認識世界是不一樣的，他們的認識法是先由內心，感受領悟產生，由裡及表，由我及他。而任何一種認識事物的思維方式以及理論，一定要有實踐、實驗的方式去證明。至於你的第一個問題……」

道長笑。

小男笑問：「我說，老子練不練功，與我們今天關係很大嗎？」

無話不說：「可能與你們關係不大，但是與我關係很大。我的意思是，如果老子不練功的話，他有沒有可能同樣寫出《道德經》來？」

小潔迷惑地笑：「這又與你有什麼關係呢？」

無話不說冷漠而嚴肅地：「這關係到我是不是非得練功，即使我不練功，但是我有悟性，將來在理論上是不是還有可能同樣有重大作為……」

大家明白了，笑。

人馬座：「原來這個問題潛伏著這麼深的野心……」

生的偉大大笑：「無話不說，你就是直說了，你有可能在理論上成為當代老子，道長也是不會給你辟穀的！因為道長要證實，像你這樣的也是『道在證道』！」

道長笑：「……我把握時間回答吧。道文化有四千多年的傳統，而《道德經》寫成，至今才兩千多年。《道德經》是道書中的一個集大成者。老子呢，本身是周朝的一個典藏史，相當於現在國家圖書館館長，他在那個時候閱讀了大量道文化的書籍，同時又透過他的證悟寫下了《道德經》。我們講的修煉是同步的，在道教裡叫『有體有證』，體證是雙修的。你們聽說過『性命雙修』、『體證同步』嗎？這個是中國道教的一個特點。如果說佛是心性學的話，道教便是性命雙修的性命學，見性正好開始修命。」

人馬座：「我聽說有人講莊子在老子之前？」

道長：「老子在前。看過莊子的就知道，莊子是第一個成功注解《道德經》的人，整整一部

《莊子》，就是在注釋《道德經》，莊子的著書內容基本上是以《道德經》爲藍本進行敘事。他的書裡面提到了大量《道德經》的語言，然後再用他的方式來做注釋。」

人馬座：「道長，你剛才提到『佛是心性學，道是性命雙修的性命學』，兩者雖然目的不一樣，但是道教裡面的很多東西是不是佛教中也有？」

道長：「道家的慈航眞人，就是佛教的觀世音菩薩。慈航眞人是一位願心很大的尊者，他看到眾生苦難，當時發願要做三教聖人。三教，即是儒、釋、道。他發願要廣度一切眾生，所以在三教裡面他都有顯現。」

一人：「道長，我們在這裡，也算是修行的生活嗎？」

道長：「大家在這裡，哪怕只有短短幾天，一起體會一種至古至樸修行的生活方法，受到中國最古老修行方法的薰陶和影響，我們當然是在修行……」

人馬座：「你說辟穀可以轉換人的身心靈，那我們沒有辟穀的人呢？」

道長：「也是一樣在轉換，透過我們的對話，你們的修煉，還有白天的功法調理，都是。辟穀是其中層次比較高的，使我們身心靈的轉換加速了。我們生命的轉換才剛剛開始。」

小男：「透過辟穀，我們的生命會轉換到什麼程度？呵呵，因爲我馬上就要辟穀了，很想多知道一點……」

道長：「第一步轉變就是由疾病態轉變向健康態。即便沒有辟穀的人，在這裡修煉的目的也是一樣的。我們透過不同方式的修煉，達到的不只是治療一種疾病，而是希望達到更多種疾病因素的消除。是整個身體的調理，從一個病的單一治療，達到向整個身體的復健。第二也是我反覆說的，健康不是修道的目的，健康不是我們道家指向的方向，健康只是我們修行的基礎。只有在健康的狀態下，我們的修行才有成效。辟穀的目的，修行的目的，都是爲了提升生命的品質，轉換我們生命的存在狀態。」

一人：「經由修行就可以治好所有身體的病？」

道長：「這是最起碼的，因爲道家修煉目的的前提，是身體一定要健康。我們有一系列的方法幫助我們由疾病態向健康態轉化。比方說今天你身體有疾病，那麼透過你的修行，加上我們的輔助，你要從疾病的狀態轉化成健康狀態，這就是我們和你共同要達到的目的，也是修行中的第一個步驟，我們把這個步驟叫做『築基』，也叫『修牆補屋』，這些我們都談論過，不再細說了。透過『修牆補屋』，重新給你們的身體做好修道的道基。現在你們正在經由這個特殊的技術，回到了你們自身道基的修復中……」

無話不說：「你說的這個我能夠理解，我想問一個處世態度的問題。」

道長沉吟：「你說的處世態度，可能就是我們一直在強調的修心。修心的目的，簡單地說，以世俗化的理解，即是我們不要被一個東西狹隘住了，不要被它固化了、物化了，使得我們無法穿越它的屏障。」

小男：「這個有點抽象，道長能不能夠舉個例子。比如我們在塵世的生活，籠統地說，確實什麼都固化我們、物化我們了，我們被任何一個東西都狹隘住了。但是這樣的『處處』，實則還是抽象的概念……」

道長：「好，我舉個例子。」道長看著我們，「比方說，你們在這裡。你們爲什麼在這裡？你們在這裡是爲了修行。那什麼叫修行？是你們在這裡了才算是修行嗎？那你們以及很多人一生的生活呢？如果只有離開你們自己的生活才算是修行的話，你們就是被狹隘住了，也同樣被固化了。我認爲我們每一個人自己多年生活的過程，就是修行，可惜你們不承認。我們對生命的堅持，透過練習功法，能夠把所有的東西融合在一起，那麼我們在任何的一個生活過程中，也始終有一個東西在指引我們，使我們不去偏移它，始終去融合它，最終不被外在的事物影響。你們留意過生活中這個始終在引導我們的東西嗎？留意過因爲這個東西的引導，而使我們最終學到了、領悟到了一種對自我的把握嗎？」

無話不說：「太高妙，都是『這個』、『東西』、『一種』這樣的指代。『這個東西』，究竟是什麼？引導了我們什麼？究竟有沒有？」

道長微笑看著他：「好，我們就以你爲例。這個在我們人生中始終把握我們的東西，我們將爲之修行的東西，它對於我們的入手點，一定是從我們的身體開始。什麼意思呢？對於你來說，這個東西也許就是被你憎惡和恐懼的糖尿病，可能糖尿病就是你人生最大的緣分，就是讓你對自我的把握清醒。你應該好好認識你的糖尿病，並且由衷地感謝你的糖尿病！」

道長的這番話輕輕道來，竟猶如振聾發聵。眾人集體看似靜靜，實則「愣愣」地坐在那裡，連議論都發不出來。一定各自都在查詢自己生活、生命之中那個「把握了我們」，使我們「最終不會偏移、最終有可能領悟到的」引導了我們的東西。

我們眞的「掉到」自己的內在了，只在我們的心裡，旁人什麼也看不出來……

大家看道長和小男先退出了房間。長久的靜默似成了莊嚴的儀式，爲小男即將在子夜的辟穀開頂，凝聚祝福和神祕的期待。

然後，大家幾乎是若有所思地互道晚安，散去。

＊　＊　＊

窗外一直下著小雨，淅淅瀝瀝。我最後一個離開練功房，喧囂場所的忽然安靜，人走屋空，有一種「人生如夢」般的冷清與寂寥。像從熱呼呼溫暖熱鬧的室內，突然伶仃地站在了室外的星空下，打個冷戰，寂寥中卻發現星空的幽遠遼闊……

紅塵人間煙火固然迷人，然而如果時刻能夠「步出戶外」，意識到另一個雖然有點「冷清」，卻能夠讓自己頭腦清晰、看見無限深遠的宇宙「星空」，這番震驚，足以讓我聯想生命華宴最終的曲終人散。人生是爲什麼而「聚」呢？應該怎麼個聚法，才能最終坦然面對「散席」，而不盡生遺憾呢？

有準備練功的道家小弟子們陸續抱著坐墊什麼的進來，這個剛剛沉浸爲「寂寥」的空間，像個水流的漩渦，又開始了新的湧動和流淌。

我「散出」練功房，緩步路過白天與道長喝茶閒聊的小茶座，看見昏暗之中生的偉大自己坐在那裡，一根紙菸燃得黑暗忽鬆忽緊。看見我走來，他瞬間掐滅了菸。道長交代過，我們辟穀的人，最好不要嗅到菸味。

我：「你在幹嘛？」

生的偉大笑：「想想，動動小腦筋。」

我：「想什麼呢？」

生的偉大遲疑：「我一想問題，是不是就顯得非常可笑？」

我借昏暗躲住笑：「難道你從來不想問題？一個原來還有可能變成科學家的人？」

生的偉大笑：「我從小學到大學畢業，從來就沒有『想～過』，對我來說，接受知識不需要想，想是對知識的背叛，是懷疑知識……」

我：「那你在想什麼？難道在想道長給你辟穀嗎？」

生的偉大哈哈大笑……

26
誰是生命的主人？

聊天的時候，道長也說過，「到底是器官或者是細胞支撐了我們的生命，還是我們的生命為它們提供了場？」

我：「這是一場混戰……關於誰是生命的主人，目前還沒有人知道……」

生的偉大扭捏再三：「我在想，在我這個小宇宙裡面，究竟誰是生命的主角？道長要無話不說『珍惜他的糖尿病』，就是說換個角度，疾病也是生命的緣分，那是我們控制了疾病，還是疾病控制了我們？顯然，我們還不敢說我們能夠控制生病，誰都不想生病，有時更像疾病控制了我們。那誰爲誰活？誰是生命的主宰？」

我無言。這個將人導離白天樣式的午夜！連已經被科普了的生的偉大，也思緒翩翩，開始「想」這些離譜的問題了。

我看過一篇關於嗜好吃巧克力的實驗調查文章，發現那些「無巧克力不歡」的人，是因爲他們的腸胃裡面有一種特別嗜好巧克力的細菌，而一個不愛吃巧克力的人，腸胃裡面就沒有這樣的「巧克力細菌」，於是由於細菌的作祟，此人就拚命地日日吃巧克力……誰控制了誰呢？

聊天的時候，道長也說過，「到底是器官或者是細胞支撐了我們的生命，還是我們的生命爲它們提供了場？」

我：「這是一場混戰……關於誰是生命的主人，目前還沒有人知道……」

生的偉大昏暗中齜出白牙，表達笑的意思：「儘管我一思考所有人都想笑，但是我確實是在做這樣可笑的事情！比方說最簡單的，我這個學理科的人怎麼也想不明白，人怎麼可以控制二二〇伏特的電壓？地線和火線串在一起是會出人命的，他們是怎麼做到的？到底有沒有魔術的成分？以前我是直接否定，但是這幾天的『陪煉』（陪同修煉），讓我開始懷疑了。我只要懷疑他們，我就是進步了。」

我：「這也沒什麼，換個角度，我就怎麼也無法理解傳眞機這樣的東西，怎麼這邊寫的字，那邊一個什麼機器，就把這些字一模一樣地複製出來了；還有像電視機，這裡人的說話、動作，那邊一個大框『盒子』，除了『人』、『物』不可觸摸，其他完全一樣都看見、聽見了；還有像飛機，一大塊鐵在天上飛……理論上都是能夠接受的，但是實際上只是習慣性地接受，如果我多想想，我又不是學理科的，便還是不明白，我這樣一思考，所有人都要笑了……」

生的偉大齜出的白牙更多了：「你思考的問題是有理論支撐的，像飛機這麼大一塊鐵飛在天上，有力學、數學、物理學都能夠解釋，而二二〇伏特的電串聯了通過人體……」

我：「也許它有未來物理學、未來數學、未來力學什麼的支撐……你讓道長用電檢查過你的身體嗎？」

生的偉大：「我還沒有，我怎麼能夠相信理論上完全不可能的東西呢？」

我嘿嘿笑起來，一時不知道應該怎麼回答。反正……我想了想：

「如果現在醫院裡全部都是道長們用二二〇伏特的電通過經絡檢查我們的身體，你還會不會有什麼疑問？會不會無論如何也不檢查身體？」

生的偉大愣了一下，再度齜出白牙：「那我就想都不想，直接接受了。像你雖然想不通，也用傳眞，也看電視，而且還做電視（節目），也坐飛機……」

是的，我們沒有理解的，沒有想明白的，就在做了的事情，多了。

我：「是啊，那不比相信道長用二二〇伏特的電給我檢查身體危險嗎？」

生的偉大嘿嘿笑起來：「如果道長的所作所爲，現在是橫行天下的，就是我們這幾天在這裡接觸到、了解到的這些東西是天下人人盡知的，而相反地只有一小撮的人在研究現在的科學，那麼有一天這一小撮人中的一個，將了解天下大道的道長們蒙上眼睛帶上一種叫『飛機』的鐵盒子裡面，兩個小時以後再讓他們看他們的身處，肯定也是很轟動的：這是什麼道理？怎麼我沒有動啊，這是到了哪裡了？哈哈……」

我被生的偉大的活潑思維誘拐出神：「嘿嘿……眞的，也許如果四千年來我們眞的往自己的內心尋找探索我們的世界，可能也不需要借助這麼物質的鐵器了，意念的能力也許眞是超出我們想像的……」

生的偉大：「絕對不會！我認爲任何一件事物，如果在漫長的四千年中沒有被發揚和光大，更不用說普及，這個事物絕對就是有問題的，起碼是不適合於大多數人的。這不是遺漏，這同樣是一種自然的淘汰。像現在網路的流行，怎麼阻止都是不可能的，這麼快速的發展，是和越來越多的人使用它、離不開它有關的，就是說像『網路』這樣的東西爲更多的人帶來了方便。所以再有人說網路的不好，都阻攔不住網路在今天的發展，除非有一天能夠有其他的東西替代它。」

生的偉大振振有詞。他聽上去都是對的，他的話用起來也是沒有錯的，像無數科學的道理指導下的科學生活。眞的沒有錯，因爲在物質的使用、利用上，我們都是受益了。但是，人類的進步除卻物質的無限度被開發、被享用外，仍然停留在「物質」這個層面，在人的心靈方面、靈性方面卻沒有拓展。而這個世界，難道僅僅是我們能夠看到、我們拚命去了解和把握的「物質」嗎？以至於讓大多數人都以爲，我們人就是這樣了，我們的理想總是與物質的發展相牽連，「物質生活水準的提高」，就是人生的幸福和目標。而現實中的無數問題是超越物質的，比如大部分的疾病就是無法「治療」，「控制住了」是最好的消息，至於究竟誰是眞正生命的主宰……

呵呵！這眞是一個八卦的午夜！如果思維能夠借助物質表現爲「頭腦風暴圖」，此刻的圖形一定不亞於一場巨大颶風的衛星雲圖……

誰又能夠說這兩者實際上確實有質的差別呢？

＊　＊　＊

一夜忙於平息頭腦中的瘋狂風暴，只小睡了片刻——

辟穀的第五天在雨聲中展開了。

清爽而美妙的心情！有一種新天新地新雨新人生的舒展！

因爲一直在下雨，早上的行步功大家只能在三樓的小露台上做。沒有了在草地上的充裕，但是大家擁擠在一起，像是氣場更加「團結」了，那一百下的「吸、吸、呼——」專注又順當。半個多小時，過得像三分鐘。

之後，他們在餐廳米粥饅頭，我在房間「吸風飲露」過神仙的生活。

大約九點，大家不由自主地聚到了二樓的茶座，我昨晚和生的偉大海聊之地。這是室內最適合聊天的地方，比較寬敞，有茶桌，有茶盤，大家團團圍坐很有向心力。不能去草地上了，草地讓給了九月的秋雨。

多了一個戴帽子的：小男。他昨夜順利開頂，進入辟穀了。

雨聲打在玻璃房的屋頂上，十分暢快、動聽。我今天的精神又好多了，只要慢慢地走路，不急不跑，我幾乎忘了自己是在辟穀。大家閒聊著，所有的人都是懷抱著一顆懷疑的心到這裡來的，之後在這裡，我們逐漸進入了依靠我們平常的知識無法進入的一個領域。在這個領域潛伏著我們陌生的、強大而浩瀚的無識……這一切由養生開始，我們試著從了解我們自身開始。

道長來了。大家歡呼，讓座，敬茶。小男幾乎迫不及待：「道長，我怎麼這麼睏啊！一直睡到現在，我還想睡！」

生的偉大以道長語氣：「你平時睡眠肯定太不夠了，辟穀的時候，你體內的眞氣會攻擊身體的脆弱部位，所以首先攻擊睡眠。是不是，道長？」

道長笑：「說得非常正確。實際上，辟穀的時候會睡不著覺，一天到晚不想睡覺，精力還很旺盛。你可能會狂睡幾天，然後就會無眠。」

我就是，睡眠越來越少，我還疑慮是不是想得太多了……

小男點頭：「是，我平時非常缺乏睡眠，常常幾天幾夜只睡幾個小時。但是這樣幾天之後，我總會正常地睡一覺。睡眠不足也會積累嗎？我以爲睡過一覺就會補回來了！」

道長：「睡眠不足是會積累的，像所有的病症都會積累一樣。睡眠非常重要，在睡眠中我們的大腦需要調節，我們需要在睡覺的過程中調整整體的狀態。我們練功的狀態實際上是一個最好的休息狀態，因爲在練功時最好的狀態是放鬆，入靜，到入定，到生命達到一個最好的和諧狀態。這個時候身心得到整體的休息，身體得到最好的調整。」

小男：「我一天睡多久是正常的？必須八個小時？」

道長：「從正常的角度來說，一個人一天其實只需要兩個多小時到三個小時的睡眠就完全夠了。當然必須是深度休息。」

有人驚訝：「這麼少？那爲什麼幾乎所有人都做不到？」

道長：「是的，大多數人做不到。剛剛入睡的時候都是淺睡，逐漸進入到深睡，早上起來之前又是淺睡。淺睡的時候我們沒有得到很好的休息，我們是在做夢。如果能夠深度休息，我們的身體只需要兩三個小時就夠了。在辟穀期間，你們會體驗到我說的『正常情況』，你們的睡眠完全可能得到調整，每天只需要兩三個小時，精神就很好。」

我的世俗苦惱之一：睡眠是不是可以減少？

我：「辟穀結束以後的睡眠呢？還會那麼短嗎？」

道長：「如果保持得好，一直會維持一個很好的狀態。」

胖子與人馬座感慨：「如果辟穀結束之後也像辟穀時一樣就好了，不吃，或者吃得少，睡眠少，其實是欲望的減少……」

道長聽見了：「你們千萬不要以爲辟完穀的狀態是最好的，其實不是的。辟完穀之後有半年的時間，身體都在調整。經過辟穀和調整，我們的狀態才可以回到二十年前。那個狀態不是面容和肌膚，而是整個身體的恢復。在這個時候，不能接受抽菸的人，自己也不能去用毒素，我說的毒素就是過量的飲食、咖啡、菸酒、辛辣等等這些。辟穀激起的生命活力，整個內臟都是朝著二十年前的狀態去淨化。整個辟穀的效果調整會持續到半年，狀態會一天比一天好。」

人馬座：「酒也算是毒素嗎？」

道長：「任何的東西如果過量，都是毒素。道家是講究喝點酒的，酒能幫助我們行血氣，通百道，但是一定有限度。」轉而問我：「你這幾天想喝咖啡了嗎？」

一語激起千層思緒……提醒我了。我巨大的咖啡癮，十多年了，每天需要兩大巨杯。咖啡給我帶來快樂和信心，我依靠咖啡做事。我曾經和朋友開玩笑，說所有他們認爲我做得不錯的事都不是我做的，「是咖啡做的！」我對咖啡的依戀已經到我認爲彼此（我、它）難以區分的地步。但是我也苦惱咖啡帶給我的低潮、憂鬱和沮喪。我嘗試過擺脫咖啡，但是似乎不可能。如果不喝咖啡，我的大腦停止工作了，我會像個傻瓜一樣一天都是低落的，更可怕的是劇烈的頭疼。只要上午沒有喝咖啡，大約中午，頭疼就像悶熱午後遙遠的雷聲，低沉地不斷襲來……

辟穀五天了，幾乎還沒有想過咖啡，也沒有過情緒低落，更沒有因爲不喝咖啡的頭疼。我幾乎忘了咖啡。

我：「沒有啊，頭也不疼，這對我有點不可思議。」

道長：「辟完穀半年之內最好也不要喝。咖啡其實是不好的，它是興奮神經的。記得你辟穀的頭兩天反應強烈嗎？難受，頭疼，頭暈，是不是？就是因爲長期被咖啡控制。辟完穀之後，你的注意力、記憶力都會很好，會有很大的提高，你再喝咖啡也沒有什麼意義了。」

我太希望是這樣了！但是，我卻有點不敢相信⋯⋯

道長：「我昨天夜裡說過，辟穀是生命體質的轉變，是生命全新的一個過程。所有的癮頭，包括抽菸的菸癮，都沒有了。」

小男：「我一天一包的菸癮，還不算大吧？」

道長：「與菸癮大小沒有關係，經過辟穀，你不會再抽菸了，除非你故意還要抽。我的意思是，辟穀會斷了你想抽菸的念頭。」

無話不說：「你什麼都不吃，比你不抽菸狠多了，所以戒個菸算不了什麼。」

道長笑：「言論可以自由，但是你說得太偏激了。辟穀是很難得的生命體驗，是整個生命體質的轉變，是身心靈的提升。你們身體的轉變只是一個基礎，你們還會感受到心靈得到了一種空前的昇華，整個生命的品質得到了提升，心靈得到提升，智慧得到圓滿。我說的這些不是辭彙，是對即將到來的狀況的描述。」

27
機器操縱的世界

道長：「對於我們有感情、有意識的人來說，不應該在發展科學的同時放棄了人心靈的感知和交流。你們都已經習慣被機器操縱了，已經沒有反思的能力，就像現在我們的這個世界被各種各樣的機器操縱了一樣……」

小男：「你說這種『身心靈的昇華』，生命品質的提升，還有智慧得到圓滿，我們自己在改變的時候，內心會有感覺嗎？」

道長：「當然會有。你對人、對任何一件發生的事、對世界的看法和感受，都會發生變化。這種感覺，辟完穀之後比任何時候都明顯。你對世界的感受，對人對事的態度變得平和了，寬容了，與以往完全不一樣了，就是一種昇華。」

小男微微點頭，若有所思。

道長：「你會有自己的體驗，你會感覺到的。人是有悟性的，我們會主動配合悟道。其實我們的整個人生都是在感悟，不過以往我們感悟的過程是被動的，出現一件事情，我們就被動地感受，而且在感悟的過程中是用我們塵世間的有限智慧去應對。塵世間的智慧是一個『有』的智慧，當我們用有限去應對無限，便始終是弱性的。辟穀，修煉，就是我們要超越自己，把一個有限度的我，變成一個無限度的我，與宇宙同在，變成宇宙的大回歸。正如莊子所說的，『我與天地並生，獨與天地精神相往來。』」

無話不說拿起一小盅茶，「呼」進嘴裡：「茶香！但是這個事情不公平。我還是耿耿於懷，你們都是在提升生命品質，都在『與天地並生』、『與天地精神相往來』了，只有我在治病，都不在一個層次上。像我是後段班的，不留級就行了，你們是升學班，都是前程遠大的！」

生的偉大推推他：「呵呵！你這樣分類劃線相當沒有自信，還有階級傾向！你現在是築屋補牆，做好基本工作，而且，你洗腦還沒有完成……」

無話不說：「怎麼沒有完成？都快洗白了，洗弱智了。上山就沒有吃過藥，不洗腦，在山下，敢嗎？」

一人笑著逗無話不說：「看你天天都在測量血糖，洗也是白洗了，還是不相信……」

無話不說：「你不能說連自己的情況都不了解，我也要看看，就這麼著，血糖到底正常沒有。道長，不能說我測個血糖都不對吧？」

道長：「你每天都測量嗎？」

無話不說：「是啊，否則我心裡不踏實。」

生的偉大：「他每天心裡不踏實二十多次……」

大家笑……

無話不說：「你看，你們再怎麼修煉，還是以人的方式在思維，並沒有成爲仙的思維吧，人是不可能與自己一刀兩斷的，所以我以醫生教我的方法、生活邏輯的習慣來測量血糖指數，來判斷道長在這裡給我的治療有沒有效果。如果他這裡是眞理，我就是在檢驗眞理，難道不對嗎？道長說得越讓我心動，我越是要檢測，到底說的是眞的啊，還是只是這麼一說呢，對不對？你們不是說道在證道嗎？我這就是在證道！」

小男：「你昨天測了幾次？今天測了嗎？」

無話不說：「當然測了，昨天我確實測了二十多次，就是想弄清楚準確率，每次是不是都比較一致。」

大家呵呵笑起來，大概都想像他整天忙於測量、測試、「道在證道」的樣子。

無話不說嚴肅地：「你們不要笑，我是一種認眞探研的態度，即便是對於道，也要有一種科學的態度，不能什麼話都說說算了。我是你們之間與道最接近的，因爲道，可以直接顯現在我的血糖指數上……」

大家更開懷大笑了。

道長笑：「道家也是講究實證的，並不是只有理論而沒有實踐。而且我們是經過了四千多年的實踐，不是你一天測試二十幾次才來證的道……科學才幾百年。誰更悠久？」

生的偉大笑：「測試血糖的儀器出生得更晚！」

道長：「我從來沒有說科學不好，我一直對科學懷有很深的敬意。我只是說科學還太年輕。科學在成長、在發展的過程中，是走了彎路的。對於我們有感情、有意識的人來說，不應該在發展科學的同時放棄了人心靈的感知和交流。你們都已經習慣被機器操縱了，已經沒有反思的能力，就像現在我們的這個世界被各種各樣的機器操縱了一樣，因爲就某些方面，我們的『習以爲常』是我們享受到了機器帶給我們的種種方便。但是我們從一個人的角度深入地去思量一下呢？比如影像學，是近一百年的成果，但是這個人發明出來的、實則非常不牢靠的影像學，卻已經操縱了所有醫學的視線，甚至包括我們的中醫院……」

我忍不住要插一個小八卦、小私話了：我的一個朋友在醫學院苦讀五年之後，分配到一家相當有名氣的醫院做影像室的拍片醫生。但是沒有幾年，他卻辭職不幹了。我們知道了非常驚訝，非常不理解，反覆疑問，他才終於吐露：壓力太大了！再追問，他說，「幾乎操縱了生死權。醫生判斷一個病人身上長的東西（腫瘤），是良性還是惡性，基本上是看拍片之後的判斷。依據經驗，我們覺得『像惡性』，那就上手術台了；覺得『看情況好像是良性的』，也可能就此耽誤了這個病人的治療期。還有就是看各種測試的數據……而十分相信我們的病人不知道，我們也是僅僅依靠他們不了解的一些知識和經驗在判斷，說實在的……太可怕了！壓力太大……」餘下沒有說的話意，我的理解就是：有多少病人是被誤判的？僅僅一張影像的片子，就完全可以判斷關係到生命的病情了嗎？上了手術台動了刀子——我也有朋友開了腹腔才發現不是胃癌，爲了確保「未來的安全」，還是被切掉了四分之一的胃!!——才發現根本不是癌症，是可以不開刀的；而有的眞正是惡性腫瘤的，因爲影像表達的侷限性、判斷的失誤而錯失良機……人體複雜的結構，生命、身體，怎麼能夠與一張薄薄的、局部的、甚至表現都不夠清晰的「片子」畫上等號呢？醫生也是希望能夠治癒病人，這是職業的崇高感，但是醫生借助的現代醫學判斷……實在誤解多多。而且我非常不能夠理解的是，包括醫學在內的現代科學，實在是已經迷信得連一點一點的質疑聲都不能夠聽見、不允許聽見。現代醫學、科學的胸懷，是不是也可以開闊一點呢？就本質而言，方法並不是最重要的，重要的是「達到了」什麼？有沒有效果？

道長：「……一個人體局部片子的影像，變成了治病的全部依據，而不僅僅是一個參考。那麼生命是什麼呢？一個人的感覺、感受就是完全無效，完全沒有用的東西嗎？可以完全不理不顧嗎？西醫在一百多年以前也存在，也看好過很多病人，在那時還沒有這些影像設備之前，他們是怎麼看病、怎麼診斷治療的呢？我們自古以來的中國醫學又是怎麼診斷治療的？現代醫學把所有與人的判斷和感覺相關的東西，無形中否定得太徹底了。現在為病人拍個片子，看個身體的影像，已經成為人們——無論是醫生還是病人都離不開的了。我感到更驚訝和失望的是，現在我們的中醫也不在乎號脈了，中醫也變得直接依賴給你開單子，你去化驗去照相吧，這還美其名為『現代化中醫』，生命完全被儀器操縱了。最後我們確實會被機器控制的，人類這樣發展會產生大量原本是幫助我們、最後到控制了我們的機器。這是我們人類要發展的方向嗎？」

小男笑：「我們都已經習慣了不相信自己的感覺。有時候明明覺得天氣挺熱的，但是氣象預報了，『今天X度』，就傻呼呼地穿了不少衣服出門。」

人馬座笑：「我原先一直支持可以在家裡用電腦讓醫生看病。病人在家裡透過電腦顯示，醫生交代這個那個什麼的……反正去了醫院也和電腦看病一樣，不都是病人自己說嘛，無非多了擁擠，鬧哄哄，心情不好……」

道長：「是啊。你們去醫院，現在的醫生看病，有和病人交流嗎？」

我的很少的醫院經歷裡面，回憶不起來與醫生有什麼交流。醫生通常非常冷漠，只聽你說，於是我就拚命地說，生怕有什麼遺漏，醫生「嗯、嗯」地不斷在病歷、藥單上寫我從來沒有看懂過的字，然後做一些檢查，或者直接拍片……

道長：「大多數的醫生都是第一次見到病人，根本不了解病人，但是基本上他們之間不會有什麼交談。病人像在自言自語，醫生聽取了多少很難說，醫生最終判斷的還是看做出來的檢查，拍出來的片子，醫生連自己的判斷都不敢相信了，而寧可相信機器來判斷，完全相信機器的結論，人與人的交流屬於多餘了。如果機器眞的能夠代替人的感知也行，可怕的是，機器並不是像我們認爲的那麼準確，機器的數據不能夠代表一個人的眞實狀況。數據表明的只是我們的身體在某一個時刻、某一個時段的狀況，你喝杯水、吃顆糖都會有改變的。我們的生命是在不斷變換的，像流淌的河，風景是一程一變的，一個人一天的生理指數本身都是不斷變化的，怎麼可以根據某一刻的數據來做整體的狀況判斷呢？更不用說你身體正在做自我調整的時候了，那個數據一定是被認爲『有很大問題』，實則你正在經過自身的調整走向完好。數據可以當作參照，但是絕對不可以當作判定法規。我們吃飽的時候，或者餓了的時候、勞累的時候，身體的各種數據都不一樣，怎麼能夠拿來判定一天或者判定生命到此爲止的一個絕對狀態呢？而現在醫生的治療，就拿這一刻的數據來判定生命的整體，這眞是要了命的。但是因爲我們的習慣性信賴，我們對於自身的不了解、不信任，使得大家都這麼認爲，都這麼依照數據來判定身體，醫治身體。」

無話不說：「那我一天測試了二十多次還是很對的。但是我平時測的血壓和血糖，比如一天只測了一次，難道可以不把它當作一回事了？」

道長：「你這兩種說法，都是走入了你自己認知的極端。我們身體的測試數據是可以用來參照、了解身體這一段時間的基本狀態，但並不是測試二十多次就可以準確，或者測試一次就是理都不理……你自己的感覺？無論你測試多少次，你有重視自己身體的感覺嗎？你自己覺得身體舒服或者很不舒服，你都不知道？這應該比你的什麼數據有價值啊？」

無話不說略有羞怯狀：「我倒沒有覺得身體不舒服，挺好的，就是測試一下，確定一下，心裡就踏實了……」

小男笑：「還是聽天氣預報穿衣出門啊！得看到數據，才相信自己眞的是難受，或者不難受了……」

道長：「……很多時候我們的習慣性思維就是如此強大。中國的道家文化裡面有諸多與生命相關聯的問題、養生的問題，值得我們反思生命過程中對於生命的認識態度、認識能力。我相信我不是第一個在做這方面探索的人，自古以來，中國人就沒有放棄過對於生命本質的探索和研究，而我們在這個時代對生命、對中國傳統文化的重新審視、重新看待，對弘揚中國的傳統文化，對生命的健康與長壽，會有突破性的發展。」

胖子大嘆一口氣：「金玉良言！又有多少人願意聽一聽、想一想呢？」

道長微笑：「我們可以換個世人容易接受的角度說，人們可以不相信中國的傳統文化，更可以不相信我，但是人們不是已經習慣相信現代科學和研究科學的人嗎？那從我的起步開始，從我們的實踐開始，我們可以用科學的名義，用科學的態度，一起與科學界的科學人士，共同來攻克當今時代我們所面臨的諸多身體問題、生命問題。但是我們從概念上去否定的、去置換的東西，就眞的能夠被否定掉？眞的能夠不存在嗎？」

是啊，難道H_2O被命名後，就不代表人類自生存以來、生命一直依賴的水了嗎？

28
預測癌症

道長：「……這樣我就意外地達到了另外一個領域，也是現代醫學的一個空白：用我的方法，預測人身體未來會發生的病變。癌症從來都不是突然發生的，但是遺憾的是，只有非常非常少數是在早期被檢查出來，大多數一旦發現都是中、晚期。」

小男：「那你二十多次的測試，血糖數據正常嗎？」

無話不說：「總體來說好像都在趨向正常，但是每次的數據確實是有變化，有的時候變化還很大。我擔心我沒有辟穀，這可能只是表面現象，只有辟穀了，才能夠根治我的糖尿病和血壓病。還有——」無話不說看著我們幾個，「你們幾個天天這樣飄飄欲仙地在我面前晃，這太刺激我了，說不定什麼時候我的血壓和血糖又會高起來！」

生的偉大笑：「你要有良性意識！雖然你沒有經歷辟穀，但是我不是連糖尿病的緣分都沒有嗎？對我來說，健康就是一種緣分，哈哈……不過，道長——」生的偉大轉向道長，「辟穀和修道可能是很好的，但是並不能說科學就不好，科學的發展使大多數人受惠……」

道長笑：「我們的話題總是繞來繞去的，又回到這個話題上了，你們就是受不了我們對科學的哪怕一點點的質疑，但這也是一種科學堅持的實事求是的態度啊……我再聲明一下：我從來沒有反對過科學，我認爲的是：科學還非常的幼小，尤其是在對比我們四千多年的傳統文化面前，科學被驗證的時間還不夠長——你們先別急著反對，我知道你們又要說科學使人的受益有多麼廣大，是的，即使這樣，科學依舊還是很幼小（有人小聲插話：麥當勞還飽得快呢，基因改造的水果、蔬菜、魚也長得巨大，可以吃的人多了，這算不算是受益……），我們不爭論這些，我們希望『科學』在未來會長大，會長得強壯。我始終在科學二字前面加上『現代』，現代科學還非常的幼小，代表了現代科學的現代醫學也還很幼小，發展很緩慢。現代醫學對於人的身體也許有了相當多的了解，但是對生命還是非常不了解。生命不等同於身體。而相對於我們的一生，我們等他們研究出成果，那太遙遠了！積極一點說，人類文明的進展，是需要古老中國道家文化的發掘和科學的進步、成長共同努力。很多道家文化能夠理解和解釋的東西，現代科學還難以用它的方式解釋。像你們經歷的辟穀就是其中一種。但是我們爭論這些就沒有必要了，大家來到這裡就是緣分，我們能夠識得中國傳統文化的優異與魅力，我們有緣，我們就定下心，潛心修煉，做好我們美妙人生的『修屋補牆』，然後我們一起期待科學的成長……」

有人鼓掌，於是帶動了更多的人……

我讀過一位科學家寫的書，這位科學家在他的書本裡面引用R．普萊特的語句：「一個科學的、特別是物理學的世紀正在結束。代表那個世紀的人物是愛因斯坦……」整個世界安詳得很，掠奪的繼續掠奪，戰爭依然戰爭，和平依舊和平，麥當勞人滿為患，華人粥店不斷在全世界開張，並沒有人為此喧嘩，無人反對，所有人都能夠接受來自一位科學家這樣的判斷。但是如果是道長這般的傳統文化堅持者說，「一個科學的、特別是物理學的世紀正在結束……」尤其是如果站在重慶縉雲山這個大家瞬間就能夠抵達的山上說，呵呵，戰爭依然戰爭，和平依舊和平，麥當勞和粥店依然都是人滿滿的，但是網路論壇的罵聲就更加滿滿了……我區別不出來同一種論調，甚至完全相同的用詞，在於不同人的發言，為什麼大家的接受就會完全不一樣？是我們在迷信什麼嗎？還是重慶太近了？縉雲山太「分明」了？

而我們正反身背轉繁華熱鬧的現代社會，一頭「鑽入」當代文明視為「迷信」、「謊言」的現象之中，「以身相試」，希望能夠經歷自身不經旁人遊說的體驗，體證中華將近五千年道文化傳承下來的生命「眞相」，驗證十五天不進食而生命完全可以正常維持的中國古人謂之「辟穀」的一種生命修行……

小男：「癌症是不是身體一種更大的毒素？辟穀對於這個毒，也是很有作用的吧？」

道長：「我要提醒大家一點：癌症其實並不可怕，可怕的是我們對於癌症的態度和治療癌症的方法。今天不說這個了。針對你的問題，我問一下：疾病裡面最可怕的是什麼？」

眾人紛紛：腦癌、骨癌、淋巴癌、愛滋病……

道長：「對，我認爲最可怕的應該是愛滋病。而我們道家的辟穀，對於愛滋病的治療都有作用。」

靜默。沒有想到這樣的回答。

道長：「愛滋病的問題所在，是人的免疫系統出現的疾病，而自我免疫系統的機能，是屬於我們的元氣和正氣的範圍。我們對愛滋病也有一點很初步的研究，我相信我們的研究對這個病能夠有很好的治療作用。那麼其他的癌症還是問題嗎？這些課題並不是僅僅我們在研究，但是中國道家的方式應該是最有價值的。我們還是談養生……」

人馬座：「道長，我有一個疑問，你現在用電把我們身上潛伏的病查出來，但是電也是很年輕的近代產物，而道教發展了四千多年，是怎麼和道發生了聯繫呢？」

道長：「有一些觀念可能我們都需要重新梳理。電一直都是存在的，像波也是一直存在的，是我們和被稱爲『科學』的一種發展，對這些正在達到逐漸的認識。

「『電』被人類掌握之前，我們用的是道家的『行氣決脈法』，即是用自己的功力來爲人通經絡，檢查人的身體狀況。但是這樣很耗費我們的功力，而且時間會很長。電被人類掌握和使用了之後，就被我運用到了替代我的功力，爲你們檢查身體，疏通經絡，解決了很多實際的問題。使用電，與『行氣決脈法』的方式和道理都是一樣的。」

無話不說：「道長，在你之前，沒有人用電走經絡來檢查身體嗎？這是你發明的嗎？」

道長：「我的檢查方法，可以說是我無意間『發明的』。那幾乎是一場事故，是一個偶然導致。在我很小的時候有一天家裡斷電了，家裡沒有人，我就自己去接電，當我同時抓著火線和地線，我一下子就從凳子上掉了下來，電把我彈開了，摔得我的人都麻木了。我觸電了，和任何人的感受一樣，唯一不同的是我清楚地感覺到，電在我身體上走過的瞬間，和平時練功的經絡是一致的，走的是我平時練功的經絡線路，手太陰經線路。我就覺得很好奇，觸電怎麼會跟我練功的經絡走呢？我膽子很大，覺得既好奇又好玩，就再嘗試，自己開始抗電的訓練，跟鬧著玩一樣。到了十四歲的時候，我已經可以很嫺熟地玩電了。但你們千萬不可跟我一樣這般去鑽研，這對我並不難，因爲我四歲就開始練功了，但是你們不同，你們千萬不能去嘗試，電對於你們是會出人命的……」

我：「你對電一點都不恐懼嗎？」

道長：「剛開始確實是害怕的，但是它打擊我的時候怎麼是順著經絡來的呢？我很小，那種好奇和一種對電的神祕感超過了一切，包括害怕。接著我就跟著我的經絡對應著來訓練，後來就沒有害怕，不拿這當一回事了。我記得大約是在十四歲的時候，我第一次把電用到治病上。我是先用電來治病，之後用來診斷。」

胖子：「你還記得用電治療的第一個病人嗎？」

道長：「印象太深刻了。那是在鄭州，我遇到了一個極難治療的病人，他把脖子摔斷，神經斷了，從頸部開始『高位截癱』，身體全部沒有知覺。他們找到我是那時我小有名氣，都說我是怪病怪治。我在那個階段治病的方式確實是很怪的，比方說治療肝臟的病症，我會用瓶子來調節肝臟的病氣，有很多很怪的方式，不像現在，我覺得現在是返璞歸眞了，用最簡單的方法做最複雜的治療。病人的家屬找到我以後，我花了兩個多月的時間爲這個高位截癱病人治療。但是我用盡了所有辦法卻一點進展也沒有，這在以前是沒有過的現象。我在十幾歲的時候就開始治療癌症病人，都是非常有效果的，但是這個病人讓我無計可施了。病人的家屬很寬厚，還很滿意，因爲在我治療的兩個多月時間裡面，他的肌肉一點都沒有萎縮，也沒有長褥瘡等等一切截癱病人會有的併發症，而且身體知覺更靈敏了，就是不能夠動。這樣他們已經很滿意了，因爲和他住在一起的都是各種各樣截癱的病人，只有他還保持得這麼好。但是我不滿意，他人沒有站起來就是我的治療目的沒有達到。那個時候我還年輕，很狂，認爲我是能夠治好這個病的，怎麼會沒有效果！那兩個月我很痛苦，一直在想可以用什麼方法來解決這個問題？我覺得一定有方法，只是我們還不知道。我想截癱是因爲人體的神經功能傳導出了問題，那應該怎麼修復不聽命令的神經功能呢？如何修復神經、恢復神經的傳導性？這樣苦思苦想兩個月之後，我想到了電。因爲電最大的特點就是傳導性很強。但用電能夠修復他的神經嗎？幾乎就在這種百般無奈的情況下，我第一次把電用到了治病。從此一發不可收拾，到現在，我們的診斷、治療幾乎都借助電的力量。」

我著急地：「那位高位截癱病人好了嗎？」

道長：「我離開他的時候，病人的手腳都恢復了知覺，可以很慢地走路了。正是這個病人啓發了我嘗試用電治病。」

小男：「把電用到診斷上呢？是突發奇想，還是也有原因？」

道長喝口茶：「有順理成章，自然而然，但也有個機緣。在用電治病很長一段時間之後，我發現了一個更奇怪的現象，有一次我在用電通經絡，治療一個胃病患者時，雖然我疏通的是他的胃經，卻發現電老是在這個人身體的肝經中振盪。他肝經的經絡不通暢，電過不去，有堵住的感覺……」

人馬座分不清是緊張還是好奇：「你有感覺？」

道長：「我當然有感覺，我自己手上的經絡就有感覺。我就問這個患者，你是不是肝有問題呢？他回答說沒有。我就沒有堅持我的感覺。後來病人自己不放心，馬上去醫院檢查，結果也沒有問題。但是過了大約兩年左右，那位找我治療胃部症狀的病人，在我當時感覺電過不去的肝部位置，發現了肝癌，被確診爲末期。這是怎麼一回事呢？不是還去醫院檢查了沒有問題的嗎？但是在我的檢查裡面是有問題的，我當時明確感覺到他後來發病的這個部位不對，這個地方的經絡是不通的。這樣我就意外地達到了另外一個領域，也是現代醫學的一個空白：用我的方法，預測人身體未來會發生的病變。癌症從來都不是突然發生的，但是遺憾的是，只有非常非常少數是在早期被檢查出來，大多數一旦發現都是中、晚期。」

小男：「癌症如果早期被檢查出來，也是能夠被治療的吧？」

道長：「只要能夠在早期發現，只要方法正確，現代的醫學是能夠治療的。問題是早期很難查出來。癌症的難以攻克，基本上都是因爲發現的時候已經是中、晚期，錯過了最佳治療的時間。於是我總結、反省，我在檢查的過程中得知某人已經有肝癌或者是肺癌的潛伏期了，但是醫院的檢查依舊什麼也發現不了。在經過了很多很多的病症驗證之後，我證實了一個器官要徹底變壞變糟，首先肯定是經絡堵塞。」

人馬座：「爲什麼用電可以通暢人的經絡呢？」

道長：「電經過我，就變成了生物電，它們是按照我的指揮在人體的經絡裡面巡走的。用電的方法治病，第一是它的疏導能力強，第二可以節省我們的力量。如果我們每天都用自己身體的力量來給這麼多的人治病、檢查的話，不說損耗，我自己發功、補充就要花很多的時間。有些東西是可以借助的。尤其我們經過練功能夠掌握電，當我帶電和你們接觸的時候，我控制電，你們的身體也有感覺，有時電會像一根針一樣的從你們的皮膚刺下去，有的時候電可以像刀片一樣有切割的感覺，有時候是『點』的感覺，有時候讓它大面積的電感，可以強，也可以弱。你們感受到電的一切變化，往哪裡走是受我控制的。」

確實是。道長一點都沒有誇張，所有經歷道長用電檢查過的人，都會有同感。

小男：「是你的什麼在控制？」

道長：「意念。」

小男：「這很玄啊！怎麼能夠相信你用意念控制電呢？」

道長：「這就是人類巨大的誤解之一。你們、我們很多人，對人的意念不了解。那是一股力量。你們很難相信我這麼籠統的解釋，就像你們沒來這裡的時候不會相信辟穀，會認爲斷食就是辟穀，也不會相信我們僅用功法就可以幫無話不說治癒現代醫學毫無辦法的糖尿病。怎麼辦？繼續修煉吧，自己來體證……」

大家笑。確實，道長要怎麼說，我們才能夠相信呢？用意念控制電……換個環境，完全是神話……眞的只有自己來經歷……

生的偉大拍拍無話不說的肩大笑：「你眞的太有緣分了！你不要每天在我眼前晃……刺激我……」

胖子：「道長，你幫助過多少人辟穀？」

道長：「我是從這幾年開始幫助人辟穀的，有上百人了吧，每年都有二十幾個，分批來，每一批幾個人。多了我帶不了，我的功力也是有限度的。」

我看大家站著、坐著、圍著道長說話的人，戴帽子的不少：「我們這一批辟穀的人算是多的吧？」

道長：「算多的，你們三個，香港有三個，重慶一個，一共七個人。一次帶七個，這是從來沒有過的。好在你們不是完全同時，也算是分了小批。今天重慶的侯先生就結束辟穀了，再過幾天是香港的陳先生，然後是香港的李先生和盧先生，十月一號是你們兩個，你們這批的最後一個是小男，所以對我的壓力也算是有緩解。」

胖子：「你帶的人多，是不是一件特別吃力的事？」

道長點頭：「肯定吃力。因爲我要給你們補充能量，補充氣。我要不斷地練功，再補給你們。」

小男：「我沒有任何的感覺……」

胖子：「像吸氧，你有感覺嗎？不難受，甚至還挺舒服的，這就是感覺……」是的，我就是胖子說的這種感覺：不難受的感覺。和道長在一起說說話，甚至有舒服的感覺。

小男恍然狀點頭……

道長：「你們是要不斷補充能量的。我的狀態好和壞，對你們都會有影響。我的身體如果不行了，你們就會有相當吃力的感覺。反過來也一樣，你們的好、壞，我也是知道的。有的時候我自己覺得不行了，便會安排我的學生來幫助我給你們補氣。」

我：「給我們補氣，對你個人的損耗大嗎？」

道長：「有損耗，但是倒不能說很大……」

道家音樂又輕輕、裊裊地在雨聲中唱響，到了午飯的時間啦！大家都似有些戀戀不捨地收了話題，人群像被一隻一直攥緊了的手鬆開了，紛紛「鬆」下了樓，嗅著香氣去與午飯相聚。

又剩我「獨坐」。我望著他們喝剩在那裡的茶，眞想一伸手送到嘴裡……從來沒有過對一盅茶的這般思慕、愛念，呵呵……茶亦似有魂，知我念想它，茶香陣陣地不用風送，自往我的嗅覺送。雨聲滴答，生命自在，念想在「能」與「不能」的思量中，稱度出人生無限的美妙與期待……

以前我總覺得「修行」是遠離自己生活的另一種生活，在想像裡面「修行」似乎應該是很乏味、很抽空、很不近人情地一種冷漠狀況。現在，原來不吃比吃還要美妙，聞香比嚼香要豐富、靈動得多、得多……「道在我們的生活裡面，在每一件事情之中」，當什麼都不能夠沾染的時候，才盡知道什麼都有其那麼豐富而不同於眾的獨特美妙，眞是各有各無盡的美，各有各無盡的好，那麼當我能夠重回紅塵生活，我怎麼可能不珍惜生命過程之中的一點一滴呢？因爲我多少知道了它們各自獨有的各有各的好，各有各的妙，一切與我的緣分，我與一切的緣分……只剩珍惜！

這就是修行？

這就是修行……

29
抄經

心的安寧照耀了每一張正在抄寫經文的臉，這些臉，無論男女，無論年齡，無論世俗的判斷是美貌還是平淡，在這一刻都是如此的美麗而端莊，因為與心相守，被心靈映照得乾淨而聖潔……

中午，他們人間煙火飯菜飄香。我在房間，細雨陪伴吸風飲露吸取宇宙精華。呵呵，眞是不可思議的經歷！我自己都進入到這般狀態了依舊難以相信，練完功望著入秋靡靡細雨出神半天。這不是幻覺吧？我沒有在自圓其說什麼吧？

我從桌邊的箱子裡取出書。我帶了這麼多的書來，卻在辟穀進行第五天了，才第一次不由自主地想要看書。這五天來像生了一場大病，第三天開始像是病後初癒的感覺。如同病去抽絲，精力慢慢地恢復了，漸漸地又儲存起來，旺盛起來。能夠看書就是一個很大的進步，而「想看書」的念頭更加可貴，這是生命的欲望。

書讓我歡欣！又是這般神仙一般清清爽爽地看書！又是秋雨被輕風掃帶到窗玻璃上細碎的沙沙聲！「安寧」似最美妙的音樂，舒緩地持久伴隨……

一直看到下午兩點，練功的音樂響起，一起到練功房練習導引術。

幾乎所有的人都來了，窗戶敞開，雨與山林的清馨氣味陣陣傳入。我們尋求著這自然的芳香，呼吸不由自主深深、深深地吸入……

也許是因爲有了道長昨天對導引術重要性的詳細解釋，也許是慢慢知道對生命中每一件事的珍惜，今天練得份外認眞、入迷。大家都是沉沉浸入在其間，我感覺像雨中沙灘上細小的沙子，正被光陰的浪潮徐徐沖刷……

三點，依照每天排列的調理表，我還是第一個接受調理。

因爲雨，室內有濕濕的寒意。常月體貼地打開了鑲嵌在屋頂上的暖氣。依舊是用電的治療。五天以來，我對「電療」竟然產生了期待，那是非常舒服的享受過程（所有接受過用電調理的道友都有同感），當二二〇伏特的電經由常月的手指從我的腹部劃過，從皮膚傳導到內在，滿身都是溫暖的、舒暢的放鬆。電流接觸皮膚發出的「嗡嗡」聲音，帶動了內心愉悅。如果沒有什麼聊天，我很快就會迷迷糊糊進入童年般無心無事的睡眠……

接受一個事實看來也不是那麼難，也不是需要很多時間，只要自己開始去接受，就彷彿這個世界一直是這樣的，一切都應該是這樣的，沒有什麼神奇與異乎尋常……

看著神態安寧、雙目微閉、專注「工作」的常月，我充滿感激。她時時會因為我的注目而睜開美麗眼睛看我一眼，眼神溫暖又親切。無數次，我聯想到醫院。我多希望天下所有的醫生都是像常月她們一樣，善良，溫情，身懷絕技，不負所有人的信任與依託。其實，病人的病痛如果有了對醫治、醫務人員的信任、信賴，病自會好了三分。呵呵，一定又會有人指責我「胡說」，但是我們都有「小的時候」，難道只有我一個人有過這種經歷、這樣的記憶嗎？生病的時候，如果爸爸或者媽媽來到身邊，「病」自然就瞬間好了許多，熱度也會退卻，那兒也不那麼疼了……

難道都沒有過嗎？

無論我聯想什麼，希望著什麼，若干分鐘之後，我都會「甜美」地睡去。大家還記得有過「甜美地睡去」的記憶嗎？在縉雲山那段奇妙的日子裡，我才找回，才想起，睡眠是「甜美」的，安寧是「最好聽」的，空氣是「很香」的，人心是最柔軟、最美好的……

四十分鐘後，我的治療結束。在這間調理室將接替我的，是胖子。

每天調理結束後，我都會在窗邊的椅子上再坐一會兒，看常月用功法自我調整，她吸氣，吐納，運氣……我能夠看明白的，只有這些。

下午，很多人都會在用餐的木頭桌子上用毛筆字抄經文。當我第一次在縉雲山聽到「抄經」二字的時候，內心還是有「嚇一跳」的觸動，我童年的記憶，「抄經」這樣的事情，似乎是大不對的，不對到很舊、很朽、很錯誤的狀況。

然而……

當我第一次看見道長給我們的經文，我就被迷住了：

「老君曰，大道無形，生育天地，大道無情，運行日月，大道無名，長養萬物，吾不知其名，強名曰道，夫道者，有清有濁，有動有靜，天清地濁，天動地靜，男清女濁，男動女靜，降本流末，而生萬物，清者濁之源，動者靜之基，人能常清靜，天地悉皆歸，夫人神好清，而心擾之，人心好靜，而欲牽之，常能遣其欲而心自靜，澄其心而神自清……」

這是我能夠理解、喜歡接受的「古文」啊！我從來沒有把「古文」與「經文」聯繫在一起過，這是我的薄弱，《道德經》、《文史經》、《詩經》不就是經文嗎，但是從中學開始，「古文」是好的，「念經」總是非常的……從此，「經」與傳統文化之間的紐帶，才健全地在我的內心「兩岸連接」了。陸地擴展了。

道長也在，在小聲指導大家手的姿勢，叮囑內心安寧的把守……

道長幾乎每天都在談話的間隙跟我們強調抄經的重要。有時他只是簡單地說，借著抄寫經書，淨化我們的心靈；有時話題周轉，道長就說多一點，他強調：

抄經是修持正心、靜心的訓練，是一種修行；

抄經時有一種感而遂通的寧靜與喜悅喚醒於心中、專注於筆尖，在一筆一畫中見證到生命的究然呈現；

在抄寫古人對世界、對自身感悟的凝練詞句時，漸漸調伏在我們內心束縛著我們身心的煩惱和妄念，使內心不受任何事物拘束，猶如明鏡般清澈；

抄經使我們整個身心投入其中，精、氣、神全與自己的本心相應，是「持戒」的境界；

要把抄經當成修行的功課，在抄經的時時刻刻保存持之以恆的信念，即使每日只進步一點點，也要求自己的字跡一天比一天端正，筆法一日較一日圓滿，內心一日似一日安寧……培養內在的精進之心。

我揀個窗邊空位坐下，燃香，展紙，念想著道長的提醒，用筆蘸墨……

與今日中午的「想看書」一樣，這也是我辟穀五天以來第一天「想抄經」，有用毛筆抄寫傳統經文的欲望。「想」，「希望」，「我要」，是一種多麼幸福的生命力量！我的體力和精力正如水漲一般，緩緩潮起，它們重新的、逐漸的注滿我的身之軀體。

「夫人神好清，而心擾之。人心好靜，而欲牽之。常能遣其欲，而心自靜；澄其心，而神自清，自然六欲不生，三毒消滅。所以不能者，爲心未澄，欲未遣也。能遣之者，內觀其心，心無其心；外觀其形，形無其形；遠觀其物，物無其物；三者既悟，惟見於空；觀空亦空，空無所空；

所空既無，無無亦無；無無既無，湛然常寂；寂無所寂，欲豈能生；欲既不生，即是眞靜；眞常應物，眞常得性，常應常靜，常清靜矣！如此清靜，漸入眞道；既入眞道，名爲得道；雖名得道，實無所得；爲化眾生，名爲得道；能悟之者，可傳聖道……」

我心愉悅！山林之氣是如此溫柔的芳香清新！沙沙的秋雨彷彿世界如同誕生之時的從來如此！然而生命來來往往，日日暮暮，前人留下的文句，極盡人生、人世的感悟，流展在我的眼前筆端，我的眼裡心裡……

所有人都埋首在太上老君的《清靜經》裡。四周牆上懸掛著古老的河圖和洛書，燭光融融，熏香裊裊，與窗外逐漸蒼茫的暮色、彌散飄裊的雨霧，與整個自然，與天地，都交融到了一起。

山下那個欲望的世界，只要在那個世界，就會不由自主地抓住在每一個人身上的世俗需求，惡（凶惡）心求索，在此刻隱約記起，彷彿都已經是前世的一個「料想」，一段猜測，沒有一點駐留的痕跡了……心的安寧照耀了每一張正在抄寫經文的臉，這些臉，無論男女，無論年齡，無論世俗的判斷是美貌還是平淡，在這一刻都是如此的美麗而端莊，因爲與心相守，被心靈映照得乾淨而聖潔。沒有笑容，比笑容還溫暖、還美麗；沒有「探論」，比探論還深邃、還明智！這一張一張還原了本性的、人的臉……

我著迷了！內心感動……那一刻我看到的，是我永遠不願意忘記的，是未來的、將要繼續與人相處的、社會的、生命永遠的、希望……

＊＊＊

生的偉大溜溜達達一身運動衫褲「昂軒」狀從門外進來的時候，離晚餐只有半小時的時間了。他很少與我們一起抄經，他「背經」，「一邊爬山一邊背誦，大聲的，還要保持氣息的平穩，健身又健心，一舉好幾得！」

他手舞足不蹈地，侃侃陳辭。

大家都已經在收拾筆墨。生的偉大笑著看我：「你好像活過來了，不再擔心會不會死了吧？」

我啞然失笑。辟穀的前幾天，頻頻掛在我嘴邊的幾句話之一，就有說來丟人的「道長，我會死嗎？」

我早活過來了，而且活得更好了，身上沒有任何一點多餘的負擔——已經消瘦得乾淨俐落，而生命力像是一支正在組建的隊伍，日漸蓬勃強大。我的心靈，我的身體，都像被雨水沖洗過了一樣，散發出從來沒有過的清晰面貌。

無話不說慢悠悠溜達到道長近旁：「道長，像他們這樣直接辟穀的，是修行的哪一個階段？」

道長依舊坐在桌邊：「中間。」

無話不說：「那能夠算是有功夫的了？」

道長笑：「不是。辟穀本身不是一個功境，它只是一個催化劑，必須要經過這個催化劑，人的眞氣才會旺盛，相當於火箭的能量推進到一定程度要增加它的能量一樣。」

小男：「辟穀只是催化劑，還不是最高級的修煉嗎？」

道長：「我只能這麼說，辟穀是閉關中的高級狀態。一般的閉關，人待在封閉的房子裡，一段時間，幾個月，人說『這人在修行，在閉關了』，但是並不表示他不吃飯了，還是得有人給他送飯去。辟穀是閉關中的最高級狀態，辟穀的第一個層次是不吃飯，第二個層次是基本上不睡覺，第三個層次是基本上不喝水。」

無話不說：「一個大活人，眞能在活著的時候可以擺脫這些？不吃不喝不睡覺，也還活著？」

道長：「當然可以。其實很簡單，就像很多動物的冬眠狀態，蛇、青蛙到了冬眠的時候就不吃不喝了。在冬眠的時候，身體處於最低消耗階段。對我們的修煉而言，如果我們能夠保持在當下，意味著時間對於我們就不存在了，空間也不存在了，我們在這個瞬間進入了永恆，這就是所謂入定的境界。」

一人熱切地：「道長，究竟什麼是入定？是什麼都不知道了嗎？」

道長微笑而不答。

眾人央求：「道長，你跟我們講講吧，還有時間，離吃飯還早……」

生的偉大看表：「還有很~多的時間，二十二分四十八秒……如果以入定的方式來講，現在是永恆……」

大家笑。

道長：「入定就是沒有時間、空間的概念，感覺了，只有當下的永恆。當我們進入一個入定狀態時，在不知不覺中已經過了好幾個小時，有時是一天，而我們感覺還是一瞬間的事情，彷彿時間被我們凝固了……」

生的偉大笑：「也可能是我們被時間凝固住，做成時間琥珀了……」

無話不說：「這怎麼可能？這叫失去知覺還差不多……」

道長：「大家聽過這個故事沒有？有一個砍柴人早晨上山去砍柴，看見兩個老人在下棋，他就看了這一局棋。之後回頭一看，他砍柴的斧子已經爛了，他回到山下，村裡的人都不認識他。他費盡周折找到了兩個鬍子很長的老頭，那是他的孫子。這個樵子才看了半個時辰神仙下棋，他『看進去』之後，忘記了時間的存在，他只是全神貫注地在看棋，而沒有意識到過了多長時間，只有當時當地，而沒有離開多遠、離開多久……」

一人：「那應該說是另一個時空了吧……」

道長：「也是入定。你們有沒有想事情想得很愣神的時候？很專注，突然有人來了一打岔，才發覺怎麼過了這麼長時間了？想事情想得入迷了，這就是迷你型的入定，大家習慣叫入神。這只是一個比喻。入定是透過練功進入的功境，在這個階段裡，我們感覺不到時間的存在，時間對於我沒有意義了。本身時間在整個宇宙就是沒有意義的。如果你能夠證明時間沒有意義，你就達到了永恆……這還只是一般的練功入定，還不算什麼大定。只有在平時始終處於當下才算是入了大定，某些狀況就像那個看棋的砍柴人。」

生的偉大：「時間問題是物理科學有史以來最大的挑戰……霍金的那本書上說，時間是上帝創造宇宙的內容之一，宇宙大爆炸之前沒有時間……」

無話不說慢條斯理、若有所思：「入定就是要返回到宇宙大爆炸之前……」

小男大笑：「你們搞得像坐火車一樣，還返回……別打岔了，還剩十五分鐘，讓道長跟我們說說吧。」

道長：「霍金的推論並沒有錯，是我們賦予了時間概念和意義。假如說這個世界上沒有人，時間對人還有什麼意義嗎？是因爲我們人有思想，我們始終在留下，始終在記憶，或者一會跑到過去，一會跑到未來，想要保持在當下，所謂『入定』，對大部分人而言，一分鐘都做不到。但是經過修行，一個人如果能夠感受到這種入定的美好，那是說不出的愉悅，說不出的高妙，絕對比一切的人能夠想到的一切娛樂，不知道到要好多少的那種幸福美滿……」

道長的表情似乎「入定」了那麼細微的X分之一秒，閃現出他語言難以描述的那種超然境界的享受……

道長：「那是一種來自宇宙原點的智慧，圓滿堅強。所以一個修行的人，並不是靠修煉約束了自己，而是他對於塵世的種種娛樂與欲望沒有絲毫的興趣了。」

無話不說直愣愣地在出神。他像是自言自語，再次流露出與他的入世、現實完全背道而馳的天眞：「眞的有天上一刻世上百年的事？那個打柴人可能是眞的嗎？」

道長微笑：「修煉絕不僅僅是強健身體，而是能夠達到強健身體。今後有機會的話，我會跟你們講述功境的意義。現代科學的某些研究方向試圖告訴世界，我們存在著一個多維時空的疊加，在這個多維時空的疊加裡，我們的認知不應該停留在一個有限的三維時空裡面，用有限的三維時空來界定我們的自身。而從道家的角度出發，就是我們應該知道生命的無限性和生命的永恆性。馬上就要吃晚飯了吧？那我再一次用我們道家的這四個字，來結束今天這個美妙的下午，這四個字浸透了道家幾千年來對生命的最大祕密，也是對你們的最大祝福：無量壽福！」

大家回應「無量壽福」，晚餐的音樂適時輕柔響起。

我沒有離開餐廳，和大家一起，坐在了桌邊。

＊　＊　＊

這麼豐盛的晚餐啊！桌上的菜擺放得滿滿的，每一樣都散發著誘人的光澤和獨特的香味。我認真地看，有香辣魚，辣子雞，有綠油油的炒青菜，有我最喜愛的番茄雞蛋湯，有……真享受！我從來沒有想到過，就是這麼看看，也有這麼大的享受！

道長依舊笑嘻嘻提醒：只是看看啊，不要動念頭。

不敢動念頭。但是……他們吃得眞是太快了！吃得太不仔細了！簡直囫圇在呑！

今天坐在這張桌邊，看在眼裡、惜在內心、嘆在嘴邊的，不僅僅是我和胖子了，還有誠心誠意的小男。

小男跟我昨天一樣搖頭嘆息：「你們吃得太糟蹋了……可惜了！」

我腦子裡面出現了平時自己吃飯的情景。同樣的快，快到幾乎是（自己不承認的）食不知味！對於滋味而言，眞是太可惜、太浪費了……等我回到北京，回到紅塵，每餐飯只要一個菜，或者番茄炒雞蛋，或者煎豆腐，或者炒素菜，細細品味，慢慢咀嚼，每一餐飯都不錯過。還要經常去菜市場，在琳琅滿目中挑挑選選，買喜愛的菜……我情不自禁，內心開始周密佈置，盤算紅塵小日子……

小潔舉了一筷子菜在我的眼前晃動：「怎樣？怎樣？動不動心……」

我：「傷心！好東西都被你們吃成棉花絮了……」

大家笑。

無話不說守著自己的超大菜盤子，依舊看著桌上的菜：「唉！再怎麼給我吃，也是給我限了量啊！再大的盤子，也是一盤子啊！」

人馬座笑：「你可以用茶碟吃好幾盤子……」

小潔和亞女她們：「我們是根本就不想吃，但是不吃又不行……天天三餐飯眞是沒有什麼意思……」

我的天！這麼有意思的事情居然說「吃飯沒有意思」！我看見胖子、小男的臉上都掠過與我同出一轍的驚震與惋惜……

一人趁咀嚼、細看桌邊每一個人：「我們餐餐吃的，面色還不如他們幾天不吃的，看他們，什麼也沒有吃，臉色還這麼好……」

已經放下筷子的小潔阻止他的眞相揭露：「難道我們自己不知道嘛！食無語！」

飯桌邊的我們彼此都「生活在別處」。

直到他們漸漸都似舉不動筷子，生的偉大：

「道長，無論科學多麼的年輕，多麼的年幼，無論現在西方醫學的發達怎麼破壞了人體自己的自然平衡，現代人爲此還是受益不少……」

無話不說慢悠悠打斷他：「看受益不少的是什麼了，受益的病也不少……」

生的偉大：「無論如何怎麼說，現在人的壽命還是比以前人的壽命要長很多，如果沒有益處，我們應該越活越短啊！」

「人生」在生的偉大嘴裡被簡約成了一根鬆緊帶，抽去了所有生老病死喜怒哀樂的水分，只剩「長、短」論英雄了……

道長：「這是你，或者說是現代人認識上的誤解，也可以說是現在醫學的一個盲區。人的生命越來越長，與所謂的醫學發展沒有什麼必然關係，也不完全是科學進步的原因，這是生物躍進的一個必然。」

眾愕。雨聲趁隙而入……

道長：「現代醫學本身很迷茫。生命的強盛與人體能量的關係，現在的醫學體系仍然無法把握，他們有時甚至以治療的名義在破壞人體的能量。上個世紀成型的量子醫學並沒有引入到現在的醫學體系，現在的醫學體系仍然在盲目地運用牛頓力學體系來建立現在的醫學模式，這是他們感到茫然的第一個原因；第二是基因醫學。基因醫學究竟應該怎麼來看待？怎麼定位？以前西醫一直認爲一個人假如得了肺癌，可能是因爲他抽菸；但是現在我們知道並不完全是這樣，實際上許多抽菸的人並沒有得肺癌，而許多不抽菸的人卻得了肺癌，問題的癥結在哪裡？」

30

疾病是進化的需要

道長：「我們很多人都沒有認識到，或者不願意這樣去認識：疾病是進化的需要，依靠疾病來改良我們的生命是一種必然的現象。對於這一點，現代醫學的認識還很不充足。」

道長：「以抽菸與肺癌的關係爲例，對於肺癌，也許抽菸只是外因，這個人是什麼樣的基因才是他得病與否的關鍵。就是說，實際上一個人在生命建立起來的時候，這個人的基因就因爲某些原因而決定了他要在之後的某個時刻得這個病，或者是那個病，或者是不得病。

「梅契尼柯夫是俄羅斯的一位諾貝爾獎獲得者，他經由研究發現，我們對自身有很大的認識誤解，我們一直以爲是細菌導致了我們得病。以西醫爲代表的現代醫學的發展，依靠了兩件東西，一個是顯微鏡的發明，看到了細菌的存在；另一個是他們的外科手術。西醫由於顯微鏡的發明、發現了生病與細菌的關係，他們發現所有的病只要一產生，一定會有大量的細菌滋生，於是『消滅細菌，治療疾病』就成了西醫的概念。一切的防範也是從『有什麼細菌』入手，以爲防範了、消除了細菌就會身體好，就能夠把病治好了。

「這個諾貝爾獎的獲得者梅契尼柯夫卻提出了一個新看法，說我們其實不是因爲細菌而得病，而是我們一旦得了病，必然會產生很多細菌。他的這個結論就回到了我們東方人的概念──『物必先自腐而後蟲生』，一個小動物如果死掉了，我們會看見屍體上馬上長滿細菌、蟲子，因爲牠死了才會產生這個狀態。梅契尼柯夫透過大量的試驗之後發現，在我們人體新陳代謝的過程中，死去的東西會導致出很多的細菌。同樣的，當一個人有了疾病之後，他會自生、會感染到很多的細菌來侵蝕他。得病是產生細菌的根本，而不是細菌產生了疾病。插一句話：修煉，辟穀，就是讓我們的身體自身健康，不生病。那麼回到我們的話題：怎麼去認識基因科學的新認識帶來的挑戰呢？基因科學認爲，我們得病也許是很早以前的基因決定的，基因出錯，不是我們現在找到的什麼理由。由此，怎麼看待我們的生命體，怎麼看待、醫治『生病』？這是現代醫學的第二個迷茫。

「現代醫學的第三個迷茫，就是進化所帶來的醫學挑戰。這才是我對你剛才問題的最直接回答，而前面的兩個是鋪陳。

「人的生命越來越長，並不完全是科學的進步和醫學的所謂發展，而是生物躍進的一個必然。進化，用進廢退。生物一直是在進化的，在進化的過程中，我們本來的生命體一直在改良我們生命的狀態。這個狀態的改良，不是以我們的意志爲轉變的，就像單細胞發展成爲我們這樣巨大而複雜的一個人一樣，經過了不懈的轉化，而這種轉化，這種生命的昇華，伴隨著一個巨大的問題：痛苦。

「痛苦產生昇華。生命的現象，人類、社會進步的現象，都是一樣的規律。

「像我們，大家在社會上生活，都會遇到很多痛苦與困惑，實際上正是痛苦與困惑給我們積累了很多的經驗，這些經驗指導了我們的人生，會一直伴隨著我們去處理很多事情。客觀地說，正是在我們每一個人經歷中所顯示的痛苦，才使我們的心靈得以昇華。

「同樣的，痛苦也使我們的生命得到改良。要重新認識疾病，疾病是我們的良師，某種意義上說，疾病帶給我們最大的生命進步和思考，是它使我們的身體得到了再次的改造。當我們的生命適應了這種改造之後，我們的生命會更加強健。進化本身就是醫學不能夠躲避的一個大問題，這就是進化醫學。但是現代醫學在諸多的現實面前躲避了這個問題，他們只針對所謂的『疾病』，而忽視了整個的生命體。在歷史與社會不斷演進的過程中，我們的生命也在不斷隨著時光而變化與演進，我們也經歷、也不可避免地發現了很多新的危及生命的病症。現實是：我們面對很多病症卻束手無策。但是另一個客觀的現實：這些病症的結果又使我們的生命得到了很大的改良。

「我們很多人都沒有認識到，或者不願意這樣去認識：疾病是進化的需要，依靠疾病來改良我們的生命是一種必然的現象。對於這一點，現代醫學的認識還很不充足。但是值得欣慰的是，現代醫學最前瞻的醫學專家們，有這樣來看待疾病、改變常規思路的人了。應該要考慮這些問題了，但是連這『非常前瞻，非常前衛』的思維角度，中國道家的先人也在四千多年以前，用天人合一的理論，已經闡述得非常清楚。

「如果還需要有更具體、更簡單的回答，解決剛才提出的問題，就是說生命的延續——壽命的增長，其本身是生命自我的一種推進的要求，其本身是可以不接受外力的。我們剛才說的能量醫學也好，基因科學也好，進化醫學也好，這一切都可以與生命自身的改進、壽命的延長沒有關係，人的生命本身，是我們在順應它的一個過程。這也是我一直在說的『道在證道』的過程，我說明白了嗎？

「而針對我先前說過的，脊椎動物正常壽命是自身生長期的五倍，就是說，人本身就應該更加長壽，是我們內心的不平、欲望、焦慮等等因素干擾了他。我們經過修煉提升、或者說恢復生命的原先，這兩者並不矛盾，能夠理解嗎？」

沉默。沉默。沉默……

正常的思維運速太慢了……理解力好像更慢，影響了思維運轉的速度……沒有一趟思維接得上道長的這一番話語。都各自在沉澱，起伏，回轉，抓取要點呢……

道長：「我並沒有在貶低西醫。我一直都沒有在貶低科學，貶低西方醫學，我只是希望陳述一個普遍的、客觀的事實，而這個事實在空間與時間的位置上遍及範圍之大，是難以被你們的視野所概括的。

「我只想說清楚，我們應該從多個方面、多個角度，歷史性地去看待一個疾病所產生的全部因緣。「這一點告訴我們，生命體在不斷地走向生命自覺的過程中，會有很多的方式，東、西方文化是自己對於生命完全不同的視點與理解以及解決的文化準備。在我們這個年代，在這個世紀，東、西方的文化必然要合璧，人類在二十一世紀將產生一次巨大的文明躍遷：就是對生命的重新認識與闡述。」

又是沉默。窗外雨聲淅瀝……

＊　＊　＊

聽道長說話，經常有一種被「撼住」了的感覺，不是撼動，是撼而無法動！

他對世界的了解，對事物的判斷，乃至對疾病的看法，對「西方科學」的認爲……說實話，我們讀再多書，懂再多的「道理」，我們的一切思維都在我們習慣接受的範圍之內，我們再「跳出框框」，再青春反叛，再不拘一格，也無非是牛仔褲的破洞敢有多大，對生活理解的尺寸是一，還是膽敢十一，是選擇咖啡還是茶，是逆來順受在家待著，還是熱血沸騰地「離家出走」，是老老實實地結婚生子，還是一腔憤慨、或者無可奈何地將戀愛進行到底……我們只能夠選擇自己是「東方文化的擁戴者」，還是「對於西方文化的仰慕」，是「古典音樂的追隨」，還是「只聽搖滾的」。歸根結柢，我們都已經習慣在已有的東西裡面挑挑選選，再冠以「個性」或「我的看法」，而從來沒有在另一個角度，比如說函數的角度，將現代科學與生活方式開根號的角度，或者是「-1」的角度來審度我們自身的生存，審度我們的文化、西方的文明，審度知識與智慧的淵別，我們自己的人生與這個世界有限、無限的關係……我們向來沒有以這般更開闊的視角來看待世界、人生「裡裡外外」一切的習慣與能力。從來不會去想「東、西方文化的必然合璧」，「人類在二十一世紀將產生對生命重新的認識與闡述」，因爲最簡單的否定式：這與我們有關嗎？

這與我們有關。當我們聽到道長這些「拋玉引磚（罵人的磚頭）」的話，當我們略略了解了一些中國傳統文化所結晶的奇妙，不可思議地，當我們僅有的一生遇到種種難以自己獨自面對的「麻煩」，無論是疾病，還是人生的種種痛苦、困惑，這一切，都與我們渺小而巨大的各自一生，有關。

因爲：人生不只一日三餐，人生不僅婚喪嫁娶，人生不是升官或者失意，發財或者落魄，人生也不只悲傷或者歡笑……

但是，人生又是被限定在這一日三餐、婚喪嫁娶、喜怒哀樂、失意落魄、升官發財等等的一切具體裡面。如何在有限之內看到無限？在細微之處發現永恆？在瑣碎之間看到眞理……

這可能是多少人內心能夠被歸納的生命期望，也是中國的傳統文化能夠給予「因人而異」的解答——我們能夠得到多大的答案，與我們想得到多大的答案息息相關。

……正當我的小腦筋忙個不停，奔騰轉動，捕捉道長的話裡話外給我的小小啓示，重新調適生命方向的小角度，終於有人打破沉寂——

小男：「道長，你的意思是說現在人的壽命比以前增加了，與西方的醫學發展沒有關係，只是人自身的進化？」

道長：「並不是完全沒有關係，這是整體因緣的一個結合。但是人的壽命一定是越來越長，這是一個必然的走向。」

人馬座：「我覺得人平均壽命增加和整個文明程度的提高、戰爭的減少、環境的改善、食物的增多，都有關係。」

道長：「你說的這些都是對的，但是不要忘記，在這一切的狀態中，我們有一個東西叫宇宙規律。宇宙是順應了一種特殊規律的，就像恩格斯告訴我們的一樣，『當我們頭破血流的時候便覺得了規律的存在』，比如我們的商規，我們的戰爭規律，官場規律，如果我們不按照這個規律去做，那頭破血流之後還是要出問題。這就是道在各個狀態中的化現，它化出了各種各樣的形態，它的一個總的原則，是宇宙的一個總法則。這個法則以一種生生不息的力量推進著我們朝一個既定的方向，去不斷地實證生命、實證宇宙的基本精神。」

生的偉大：「我記得尼采說過，我們的肉體是大智慧一個獨具意義的複合物，既是戰爭兼和平，亦是羊群兼牧人。我們的肉體只是工具，相對我們的大智慧，它只是小工具、小智慧，我們的肉體不是『我』，只是在實踐『我』。」生的偉大笑，「我已經分不清了，這算是科學，還算是道！可能尼采是一個化妝成西方哲學家的道士……」

大家又笑起來……生的偉大：「我就無法忍受居然沒有人笑！」

道長：「籠統地講，無論什麼人，說什麼話，我們可以去分辨、去判斷，也可以不用分辨，不用判斷。我們需要判斷的是，我們是否承道而行，順勢而行。像孫中山說的，天下大勢，浩浩蕩蕩，順勢則昌，逆勢則亡。這個天下大勢啊，就是天下道的一個顯現。」

人問：「為什麼說孫中山呢？」

道長：「每個時代都有一個道的化現。孫中山先生就是順勢則昌。大家可以搜索一下曾經的歷史，在軍閥混戰的當年，孫中山先生打過一次勝仗沒有？對於當時戰爭、混亂的局面，一個從來沒有打過勝仗的人，人們大多會是怎麼看待，怎麼認為？但是從中國最早的三皇五帝開始，排列每一個朝代的有功之人，孫中山先生的功績絕對是在最前三位。混戰的年代卻沒有打過任何一場勝仗，然而功高不可忽略，為什麼呢？因為幾千年的封建帝制是他結束的，這不等同於明朝結束了元朝，也不是清朝結束了明朝，他不是結束了一個皇朝，而是結束了幾千年的帝制，這是他很大的功績！但是這個功績很大的人卻是沒有指揮過一次勝仗，他親自指揮的幾場戰鬥幾乎都是失敗的，那他憑什麼成就了呢？就是憑著一個順勢則昌的道，他在那個時期，順應了他必然要順應的東西，這個東西就是在那個時代表現出來的法則，這個法則在那個時代反映出來了一個精神。所以說雖然孫中山先生每仗必敗，但是他仍然建立了不朽的功勳。」

大家再次沉默。

道長：「因此再回到我們的原話之中，佛教有『見性開悟』，道教呢，是既講性又講命，是性命雙修。在見性開悟之後——什麼是見性呢？見性就是見到了你自己的本性，你們要知道你們現在所有的象，都是本體中的一個外在化的東西，當你透過這種外在化的因緣聚合，了解到它的整體時，你就知道了『道』是怎麼回事。佛教的見性開悟，叫心性學，而道教見了性之後怎麼辦？並不是你見了性之後，開悟了之後，你雖然可以不再有煩惱，但是身體的痛苦呢？生老病死呢？所以道教的修行在見了性之後，一定還要透過命功的轉化，實現我們自身的轉化。從兩個方面解決心靈與身體的問題，這就是道教的性命雙修。」

我：「怎麼知道我是見了性呢？那是一種什麼跡象？」

道長：「見了性，就是我找到了我的眞心。這個眞心叫悟，一個豎心旁一個吾，我。我不知道該怎麼跟你們講，什麼叫見到眞心。見到眞心，人就不會有矛盾，不會有煩惱……」

〔小私話：前些天有「一涵」網友留言：「我就曾成功地嘗試過辟穀和入定將近四年的時間，確實外觀、年齡在後退，心情特別好，身體特別好。但是現在不做了，原因是只要在紅塵中生活，辟穀後會吃很多的虧，什麼都是讓，沒有什麼作爲，受別人的欺負，心情還會很好。我現在恢復人間的生活已經有一年多了，人世間的生活要按照人世間的規則來做。我等退休以後再辟穀回到神仙般的感覺中。」呵呵，你眞的認爲世間有吃虧？會沒有作爲（你認爲的作爲是什麼呢）嗎？以下部分請你看看、想想，紅塵的利害、紛爭、衝突、得失等等這些，比我們獲得一顆眞心還重要嗎？比「悟」還重要嗎？〕

道長：「……我們所有的煩惱是怎麼生出來的呢？是因爲我們在選擇。我有好、壞、對、錯、是、非、善、惡，於是我就有得和失的區別。是、非、對、錯都是有對立面的，我覺得遇到好的就覺得好，遇到不好的就覺得不好，完全是我以我爲中心。凡是符合我的品味，對我有意義的，就是好，反之就是壞。這些東西都是一個二元對立世界的一種顛倒。而我們的傳統智慧是怎麼樣的呢？見到眞性的人，首先就沒有這一切，沒有差別心。他會知道這整個宇宙，他和宇宙之間就是一個東西，這個最重要的標誌就是天人合一。於是他就是眞正意義上的博愛，眞正意義上的關心別人就是相當於關心自己，萬物和自己是平等的，是完全不對立的。比如說我們每個人都有自己的性格，我們接觸到一個事物的特性，我們看到『我』與這個『事物』之間的差別，因此衍生了種種不同的情緒，而忘記我們實際上是一個，忘記了宇宙是一個。宇宙和人是合一的，只是不同的前緣的風，使得我們今世看到的不一樣……」

小男：「等等，道長，這是什麼意思？我們的每件事情難道不是我們自己經歷、自己決定的嗎？」

道長：「從根本上來說，你、我、我們每一個人，眞正能夠明白我們自己的經歷嗎？我們又眞正地能夠決定什麼？無論是生，是死，還是貫穿在這生死兩頭之間的所有發生的一切？

「表面上似乎是你在決定什麼，而且你們在自己的領域發展都很出色，你們為此也很努力，也力所能及地在經歷和決定自己的事情。但是眞的完全是因爲你們比其他人更努力、更有智慧嗎？你們眞的能夠決定自己的命運嗎？不是的，我相信比你們還要努力、還有智慧的人還有許多，但是他們沒有你們的機緣，因此沒有你們現在的成績；機緣是你努力就能夠得來的嗎？而這個世界上也有許多既沒有你們努力，也沒有你們有智慧，做出來的成績卻比你們更顯著、更出色的人。這裡有因緣。因是訊息，就是無量的緣。從根本上影響我們的是因爲緣，而不是因爲別的什麼。它是夾帶在生命形成的本因之中，在我們這世之中逐步顯現出來的……」

31

健康的第一要義是快樂

健康的第一要義不是鍛鍊，不是練功，而是快樂。我們修煉的目的就是要得到內心愉悅，感悟到更深、更遠、更通透的一種快樂，快樂是健康長壽的保證。養生最重要的事情就是使人快樂。

小男點頭：「從道理上都能夠聽懂，但是好像很難與現實對應，『天人合一』，『沒有差別心』，『萬物和自己平等』，這個世道……」他呵呵笑起來，「如果我眞的這麼去做，別人會以爲我有病……」

道長笑：「並不是要你去做什麼來證明，而是當我們知曉了因緣，能夠明白這個道理，我們面對他人、面對自己，就會心平氣靜。我們說『萬物和自己平等』，指的是本性上我們都是一樣的，只不過機緣的推動、命運的推動，使得我們不同。我們說萬物一體，是說人與人之間沒有差別，事與事之間也沒有差別。我知道這個人對我好，他是來幫助我的，我覺得這個人對我不好，但他也是來幫助我的，於是我就不喜不憂，我也同樣會幫助那些我該幫助的人，阻止那些邪惡的事物。面對事態、世態，無論是發生歡喜的事情還是發生了災難，我們都平靜面對，因爲不管怎樣，這些都是自然的，而且可能這是再好不過的一種東西。要知道因爲緣，根本就不存在什麼壞事會發生在我們身上，於是我們發現了，也理解了這個世界上有很多事情不會按照我們想的那樣。而原先我們感到的生活壓力，我們不能百分之百地投入到生活的種種不同滋味的享受當中，會因爲了解了因緣，而改變對生活、對經歷的理解與看法。我們即使回想到和一個人吵架，都會覺得是很珍惜、很可貴的，因爲我們能夠感受到所有事情帶給我們的感受，與『得到』的方式，是多麼的可貴與不同。吵架也是因緣聚合的緣分啊……」

人馬座：「那麼見性開悟是不是就內心完全平靜，痛苦、甜蜜什麼的，已經沒有差別了？」

道長：「不是，痛苦、甜蜜這些都是狹義的，當我們這樣來區別、來認知的時候，一定是因爲我們並沒有眞正地理解它們。你感到幸福也罷，痛苦也好，其實都是一種自我的妄想，你不能眞正體會到它們的樂趣和涵義。什麼是眞正的快樂？要知道生命是怎麼一回事。健康的第一要義不是鍛鍊，不是練功，而是快樂。我們修煉的目的就是要得到內心愉悅，感悟到更深、更遠、更通透的一種快樂，快樂是健康長壽的保證。養生最重要的事情就是使人快樂。如果一個人快樂，哪怕他忙得只有一點睡覺休息的時間，哪怕他抽菸什麼的，都還是能維持很好很長的壽命。但是如果能夠既不抽菸又快樂呢？那是更好的境界了。健康者的十全手冊，就是既快樂、而且又是健康的快樂。但是在兩者不可得兼的情況下，首先是要保持快樂。」

無話不說：「見性開悟對身體有什麼作用呢？」

道長：「對身體的作用太大了。你明白了，你還會動怒，還會去計較、生氣嗎？見性開悟最最基礎能夠達到的，就是身體健康，或者說身體的健康已經不在話下。這是心與身的關係。道教修煉的目的絕對不是只爲了身體健康，但是它最基本要達到的，就是健康，你必須要有一個健康的身體才能去修行。見性開悟就是已經知道了回家的路，見到了母親，雖然還不能時刻都在母親的懷抱。接下來就是老子說的『既知其母，復守其子，沒身不殆』了。我們的午餐是否該結束了？」

* * *

睡功，中午功，下午導引術，站樁，常月的調理……一切按部就班，之間圍繞我心頭腦際的，仍舊是道長午飯時分說的「因爲緣」。

是啊，因緣，因爲緣，導致現象，導致果……「因果」、「緣分」的概念一直根植在大部分中國人的心裡，而這個世界，不也就是由此「因果」而搭建起來的嗎？氣象學、物理學、哲學、倫理學所討論的、觀察到的因緣，因果的現象，現代科學與科學的人們並不陌生，有描述，也有觀察，也有結論，也有應用在我們種種日常需要之中的，正是浮動在這個世界表象的因與果的關係。

我想起不久前看到一篇《自然全息因果律》的科文報導，以「因果律」來解釋人生的來去因緣，生老病死，命運的沉浮飄定，生命的規律、歸宿……這篇《自然全息因果律》，根據的是遺傳學理論和微觀生物學的理論分析，解釋人生是一種全息的、微觀隱態的、具有全息遺傳攜帶性的一種本源因素。文章說「一切都在全息因果規律之中」，稱這是自然的法則。科學家承認，「目前世界的科學水準暫時還不能進入本因系統」，「只有佛、道的修眞者經過漫長的修證達到一定層次之後，在高維空間中用慧觀進行驗證」……

下午之其他略。晚餐茱餚略。晚餐話題略。

之間抄寫經文，愈加心曠神怡……

＊　＊　＊

晚上八點，聚聚散散了一天的大家，再次彙集到二樓練功房。

道長已經安坐蒲團。

道長依次詢問辟穀者的狀況。我的精神有目共睹，越來越好，據描述還「面色紅潤，眼睛晶亮」，頭髮自然烏黑，已經五天沒有洗了，依舊清清爽爽，順順當當……呵呵！只是身上紅疹比昨天還要嚴重，手心、腳心都發滿了，我略有擔心，道長說是我自身在調整。我非常相信，因爲以前有過的狀況，依舊是與我的心臟有關。其實還是在調心臟的病兆與功能，我心裡十分清楚。

胖子的血壓還是高，依舊不吃藥，上午高壓一三〇，低壓一〇〇，晚飯以後高壓一五〇，低壓一二〇，心跳每分鐘九十二次。但是他說，他居然、怎麼一點都不難受？如果在山下，這樣的血壓會讓他頭疼欲裂。

道長問到無話不說。

無話不說：「我好一些。但是我不像他們，他們辟穀的沒有問題，他們像是打了麻藥，沒有疼痛感，而我是清醒的，我是靠意志在接受治療，靠意志不抽菸，靠意志只吃一盤子。我正在培養意志對吃沒有興趣！用意志平息欲望！」

大家笑。

生的偉大：「這不可能！盤子比你的意志大！其實那麼大的盤子你都沒有吃飽（無話不說的一個大盤子裡面分別設有五個手掌大的小盤子），我也看出來了，關鍵是你牙縫太大，大部分都在牙縫裡了，哈哈……」

笑……

無話不說：「問題就是我沒有被『打麻藥』，我都是清醒著。我要是被『麻』了，那我根本就不想吃了。他們看著還『想』吧？看見這幾位仙人飯桌上的眼神了吧？」

辟穀的笑：「這位朋友……」

無話不說：「別這麼叫我，我們不是一個檔次，你們是饞，但不是餓，而我是餓，但又不能盡情的吃！」

小男笑：「你知足吧！你現在是還允許能吃這麼多，當告訴你絕對不允許的時候，你就沒那麼多毛病了。」

無話不說：「你們說，藕斷絲連和一刀兩斷，誰更痛苦？不和你們說了，都不在一個檔次上，打了麻藥的和沒打麻藥的說『你知足吧』，你倒是把麻藥給我……」

道長笑得……

道長：「你們太厲害了，居然把辟穀比喻成打麻藥了……」

無話不說：「我現在就盡量地開始自己辟穀了。」

大家笑：「你這是辟穀？」

無話不說：「對，我在心裡這樣對自己說。你們是付出了會有所得，你們是高級階層的，我呢？端著個盤子，在角落裡面躲著，跟集中營似的！」

大家笑。

道長：「你的血壓和血糖怎麼樣啊？」

無話不說：「血壓是無人管！血糖還行，確實治療的當天就開始下降了。」

狂笑！大家：「怎麼血壓沒有人管？」

無話不說：「從來沒有人問過我的血壓啊，它就自己在那兒撐著，居高不下，也不能吃藥……」

道長：「你現在的血糖是多少？」

無話不說：「我在北京的時候，晚飯後血糖是將近十二……」

一人笑：「是問你現在呢……」

無話不說：「我得一點一點說，和醫生不是也得從頭全部說起嗎？」

道長笑：「對，你慢慢說……」

無話不說：「我在北京的時候，晚飯後血糖是將近十二，這是不吃藥的狀況。我在北京檢查出糖尿病對我來說是很奇怪的事情，因爲我家裡並沒有糖尿病的遺傳。醫生看我，說是胖的原因，要我減掉兩斤肉就好了，於是我就在北京跑步，跑了兩天，確實是好了一些，也順便節食……」

生的偉大笑：「三碗麵條只吃了兩碗，減掉一碗……」

無話不說像沒聽見一般，繼續描述：「……但是第二天血糖又高上去了，我就只好開始吃藥。到了這兒，按照你們這兒的規定必須停藥，我就停了，全部的希望都在你們了，也把命交給你們了。第一天沒事，我覺得那是因爲前一天的藥還起著作用（大家笑）；第二天就高了，但是我也不怕，因爲有道長在這兒，他也有話在這兒擱著；第三天也高點兒……」

被打斷：「問你現在呢？哥們兒……」

另一人：「別打斷他，他馬上就要說到了……」

大家笑！

道長笑著：「你說的那頭幾天，都是還沒有給你治療，我們是交談了三天之後才讓你治療的。」

無話不說：「那是。我順著說，一給我治療，當天下午血糖就開始降低了。」

他停頓，看道長：「我的感受也得說，確實是有效果，但是我覺得你們歧視我。不眠夜也是糖尿病，爲什麼他馬上就辟穀了，我就是怎樣都不能辟穀？道長，你一直沒有說明白這是爲什麼？」

道長：「他的情況和你的不一樣。你是比較單純的糖尿病，他是整個身體的血液已經變酸了，他如果不辟穀，隨時都有癌症的可能。也就是說，會產生惡劣後果的、威脅他生命的，並不是他的糖尿病。不眠夜是你們這些人裡面唯一血液變酸了的，已經具備癌症出現、生存的環境了。」

……

32
三個意識

「今天我講樁功，是你們每天下午兩點都要練習的功法。練習樁功時，強調有『三個意識』，大家記得嗎？」

亞女：「就是你說的『整體意識，顫抖意識，良性意識』？」

道長：「不眠夜是你們這些人裡面唯一血液變酸了的。癌症不是突然出來的，同樣需要有一個環境去生長。就像重慶的桃樹，移到馬來西亞就生長不起來，因爲水土不服。任何一種生命的現象都需要自己的環境。我們身體體質偏酸了，就很容易滋生其他的東西。如果只是爲了給不眠夜治療糖尿病，根本不用辟穀，有很多方法都可以治療，糖尿病在我們這裡根本就不是一個難治的病。不眠夜經過辟穀，關鍵是把他的身體內環境清理了，調整好了，糖尿病自然也就好了。」

小男：「對不起，道長，我有疑問。會不會目前看起來似乎好了，其實也是假象，過不了多久依然是糖尿病？除非不斷辟穀？」

道長：「不會，他不會再有問題了。有些很表面的現象，比如說數據什麼的，可能會顯得起起伏伏，但是從根本上，他不會再有問題。除非他不愛惜自己的身體，繼續猛吃，不睡覺不休息，過著完全和以前一樣的生活，沒有改變，那麼就算一個好身體也會損壞。」

小潔：「我……辟穀三天行不行？十五天不吃東西，想想都害怕，我做不到……」

道長：「一般的辟穀是以七爲一季，所以我們通常是十五天，實際上就是十四天，二十一天，二十八天，就這樣翻上去的。起碼都應該是十五天，否則就不是什麼辟穀了。像盧先生——」坐在靠牆的盧先生笑吟吟地與道長點頭示意，充滿尊敬。辟穀使得他消瘦卻精神灼灼，據他自己聲稱已經接近六十，但是看上去似乎距離「五十」都還有相當的距離……

道長：「盧先生已經是第二次辟穀了，兩次都是二十一天。」

盧先生面對大家，一口「港音」：「因爲我的身體比較有問題，所以都是從二十一天開始。今天已經是十六天啦，還有五天！」

小男：「你香港的朋友相信你這麼多天不吃任何的東西嗎？」

盧先生笑：「絕對不相信！他們以爲我在開玩笑！」

另一位李先生的太太就坐在旁邊，很艱難地用普通話表達：「如果我不是在這裡天天看著他（李先生），說給我聽我也不會相信的！」

一起辟穀的李先生也是來自香港，他有家族糖尿病史，自己得糖尿病已經二十多年了。他的哥哥、姐姐都是因爲糖尿病辭世。李先生來辟穀，把很擔心、很懷疑這件事情的太太也帶來了。

李太太：「好神奇，不親眼看見怎麼會相信！我半夜都監視他，看他是不是有偷吃……」

李先生笑：「怎麼可能……」

道長問李先生：「你今天的血糖指數多少？」

李：「今天很好，昨天是四點多，今天是五．二。」

人馬座：「李先生辟穀結束之後，是不是也可以不用吃藥了？更不用打胰島素了？」

道長：「我會給他一個注意事項，只要他維持得好，就再也不用打胰島素什麼的了。你呢？小男？就是特別想睡？沒有其他徵兆吧？」

小男笑著點頭。今天下午他又是「通睡」。

道長點頭：「很好。你們自己的身體都在很好地工作。沒有你們『知識』的干預，它（身體）自在多了，有成效多了。這幾天下雨，辟穀的各位一定不能讓雨淋到你們的頭髮；如果霧氣大的話，在室內都應該戴帽子，外出應該在帽子裡面加戴浴帽。潮濕對你們開了頂的不好。」

大家屏聲靜氣。這晚間的講座，此刻才是「一切就緒」，像飛行的「關閉艙門，開動引擎」，這一場充滿期待與憧憬的「飛行」，開始滑動——

＊＊＊

道長：「昨天我們講了導引術，大家知道了『導引術』是引導氣血巡行的一套養生方法，要求我們不能間斷地從第一節一直做到最後一節，要求我們的意念和身體保持一致，使得我們的身體備受氣血滋潤，把身心從紛繁的世間壓力下拯救出來。

「我們也講了行步功，行步功是使身體快速充氧的一種辦法。我們也由此了解到現在的都市疾病，我們的亞健康狀態，都是因爲厭氧症，也就是慢性缺氧。身體缺氧直接導致了體內的生命體不能正常新陳代謝，也使很多臟器缺乏活力，顯得暮氣沉沉。現在得病的人群越來越年輕化。北京市抽樣了幾所學校做檢查，做了一個統計，結果有八歲的學生，他們的身體還是兒童期，應該是最健康、最蓬勃的狀態，卻出現了心血管的粥樣硬化。這種原本屬於老年的疾病都已經降臨到了八歲兒童的身上，我們對自身身體的無知、放肆，對人類未來健康的擔憂，已經不是一個紙上談兵的話題。如果一個民族希望有光明的未來，文化與個體生命健康是首要不能夠忽略的。生命的危機迫在眼前。

「老年性疾病的普遍年輕化，實際上都是因爲我們的身體缺乏活力，缺乏正常的代謝功能。行步功所針對、所能夠改變的，正是這些問題。要重視行步功，這套功法非常重要，因爲它還可以幫助我們達到包括癌症在內的治療效果，就是這麼簡單的『吸吸呼』和『呼呼吸』，就可以對很多疾病進行調治。而我們在治療的過程中，透過對內在的氣的循環調節，能夠幫助身體功能有很好的復健。

「今天我講樁功，是你們每天下午兩點都要練習的功法。練習樁功時，強調有『三個意識』，大家記得嗎？」

當然記得，每天都聽在耳邊的……

亞女：「就是你說的『整體意識，顫抖意識，良性意識』？」

道長：「對。但是明不明白這三個『意識』究竟說的是什麼？」

幾乎所有人都搖頭。

道長：「練習樁功的時候，這三個意念一直是要貫徹始終的。首先，整體意識是什麼意思？

「我們已經討論過無數次，道家是最早提出完整宇宙模型的一個體系。我們都知道中國的中醫，但是都不太知道中醫是道文化直接催生出來的一個醫學體系，是道文化在醫學體系中的運用。我先分別從『藥學』和『醫學』的角度來講一點中醫。

「藥學主要是從道教外丹的研製中，產生了最早的對礦物質和草本植物的認識。這也包括我們四大發明中的火藥和指南針，這些都是道家方仙道的方士們在那個時期煉丹與修煉的時候所發明、發現的；至於我們的醫學理論，中國醫學的四大哲學理論體系，第一個就是整體醫學。針對西醫的頭痛治頭、腳痛治腳，我們的觀念是整體觀念。整體觀念來源於道教的南華眞人，在他的《南華眞經》裡面寫道，『天與人一也』，天和人是一個，天人合一，人與天是一個整體，這是中國文化最早的『一』的概念。所以我們在練站樁功時，第一個要體會到的就是整體概念、整體意識。怎麼理解呢？即是我們不要被瑣碎的、個別的生理現象所吸引，我們一定要有一個自始不變的覺知來觀照自身，就好像我身外有一個眼在看著我在這兒站著。」

道長微閉雙眼做示範。瞬間，這股安寧的氛圍（可能應該說是氣場？）席捲了我們，有種沉沉的寧和，讓我們深深地跟隨，卻又不是瞌睡……

道長恢復講課：

「感覺到沒有？整體意識是樁功的核心部分。

「爲什麼要不斷地強調整體意識、把整體意識作爲樁功的核心部分呢？因爲在我們站樁的時候，我們用整體意識來觀照生命自身的過程中，是不會只用某個部位的、局部的能量來進行疾病患部的調節。打個比喩，就相當於我們在打拳的時候會盡量把拳頭團緊，然後由我們的腰部發力，從肩部順勢而出。注意這個勁是從我們的腰部發出來的，十趾抓地，提肛收腹，勁由腰發，然後由背使肘，由肘使腕，由腕運勁，這一拳擊出去的時候會盡量減少內耗，而使這一拳力量的傳遞達到最大的程度。

「這就是把全身的力量合在一起的作用。就像我們一個人在做事，和把一個團隊的人全部團結在一起去做一件事情的不同。當我們用整體的意念去觀照自身的時候，就是最大限度地調動了全身的能量，去衝擊身體中一兩個不通暢的地方。如果沒有整體意識，我的意念只會隨著練功時身體局部出現的氣團反應而動，我們就會因爲過分關注局部氣機反應，而忽略了整體啓發能量的目的，那就相當於『個體行爲』，而不是『團隊力量』。個體的能力總是有限的，若我們只調動一兩處經絡的力量去疏通不通暢的經絡，效果就會很慢。所以我們在站的時候，一定要有一種若有若無、似守非守的意識，一個身外之身觀照整體的意識，就是『我是一個整體，我不爲局部反應而動』，這個意識要始終貫穿其中，當這個意識把握得很好的時候，我們的氣血就會充分調動起來。」

……

＊ ＊ ＊

道長：「第二個是良性意識。良性意識和惡性意識對人的影響是同等的，這些意識影響的就是我們的能量。這個能量是巨大的，平時儲存在腎部。我們說『命意源頭在兩腎』，說的就是這個生命的能量。當我們的腎上腺素充分調動時，生命爆發的能量是驚人的，是相當大的。怎麼調動這個能量呢？用我們的意識。我們的意識如果是處於良性的，那麼身體一定是好的；若處於惡性，身體一定會變得很壞。

「大家都知道很多例子。比如說不同的人接到了癌症宣判書，有的人憑著堅強的意志，樂觀的心態，延長了壽命，叫『戰勝了疾病』；有的人本來按照常規三年後才會出現致命問題，但是才一個月，人就不在了。甚至有的人因爲拿錯了檢查的片子，還來不及改正，已經被自己嚇死了。還有的是誤診，根本就沒有癌症，弄錯了，但是同樣人也去世了。這就是意識導致。美國人曾經做過一個很殘忍的實驗，讓一個死囚觀看一隻猴子割脈流血死亡的整個過程，然後跟死囚說你也是這樣的死法，然後『人道』地蒙住了死囚的雙眼。他們只在他的手腕上很小地劃了一個口子，與此同時把自來水的龍頭悄悄打開，能夠聽見流血一般的滴答聲，僅僅過了幾十分鐘，這個死囚就死了，而且死得很蒼白，和失血患者的死法是一樣的。因爲他的意識告訴他，他的『血』已經快流完了，他就服從意識，死了。

「類似這種事例有很多。我們在生命緊急的時候可以跨過平時不可能跨過的壕溝，可以產生無窮的爆發力，這一切變化都來自我們對自己意識的調動。在某一種狀態下，是不需要我們參與任何主觀能動性的，那就是當生命出現危機的時候。生命的自救是由不得你的，危機時自然就爆發出這股力量了。

「有一個故事，某人喝醉了酒在回家的路上看見了一隻老虎，他搭了弓箭射過去，老虎就不動了，第二天他酒醒後想起了這件事，尋回去看，發現他醉酒時的那支箭並沒有射中老虎，而是深深地扎入一塊大石頭裡，是他在醉酒的深夜誤把石頭看做虎了。他自己覺得很奇怪，他的箭怎麼能夠射入到石頭裡呢？之後他再怎麼射也射不進去了，這就是有名的『飛將軍李廣射石』的故事。還有很多例子，包括文人在醉酒時寫的文章、作的畫等等。王羲之在創作《蘭亭序》時的境界，都是在清醒時難以做到的，都屬於在瞬間調動了意念，調動了生命力。包括武松打虎，武松在正常的情景之下是打不過老虎的，必須在那種特殊的情況下，才能三拳打死一隻老虎。像武松這樣的人，天生是英雄，他心裡有一種豪邁的感覺，遇強則強，他調動潛意識戰勝了困難。有的人卻會在這種困難面前被活活地嚇死，這是相同的生命力量起到的兩種不同作用力所導致。

「怎麼調動潛意識呢？在突發的情況下引發了無形中生命潛能的調動，某種意義上就是開發了我們說的特異功能。所謂的特異功能，就是我們在正常情況下達不到的那種能力，但是在某一個瞬間卻出乎意料地達到了。我們關注和研究的是：這種非常特殊的狀態，希望能夠透過我們的練功達到。爲什麼？

「當我們在練功的狀態，我們的思維作用消退了，潛在意識上升了，代之而起的是我們處在生命的潛意識轉化爲顯意識的狀態中，我們整個狀態的意識是陰性意識，在這種情況下，我們生命的能量充分地活躍，這時候我們的意念對它的影響就比平時大多了。平時我們都屬於邏輯思維狀態中，在這種狀態下，我們的大腦和身體是沒有聯繫的；而在陰性意識狀態下，我們的大腦和身體是息息相關的，這個時候我們發自內心的、自我的激勵是非常重要的，這就是我們在做功時說的，面含微笑，良性意識。

「但是很多時候，大家在練習這個樁功時我發現，很多人被現實生活磨礪得連微笑都不會了，這是我萬分驚訝、沒有想到的。一開始我不知道，我還說，面含微笑啊。他們回答，微笑了啊，可是卻一點笑的意思都沒有。他不是不配合，是他以爲自己在微笑，但就是笑不起來！你們相信有這樣的事情嗎？現實的世俗生活，竟然導致了無數不再會微笑了的成年人，這是長期生活狀態的後遺症：心都被封閉了，哪裡還有從心出發的、發自內心的微笑呢？」

（小私話：大家一定能夠回憶起自己身邊許多從來沒有微笑過的人。因爲我當時馬上在小腦海裡浮現出許多陰鬱的或是不生動的——其實就是麻木的——面孔。若是放風箏一般放長了去想，挺可怕的，也是滿可悲的。）

大家不由自主扭頭互相觀望，爲了證明自己尚有微笑的人之功能，紛紛掛上了或眞或假的微微笑容。之後，彼此似乎被經久不用的功能「嚇著」了，報以眞實的大笑，將面具一般的「微笑」從臉上抹去了……

道長：「哎，是發自內心的微笑，萬般和美的微笑……看來，你們也是屬於很久沒有微笑了，可能也有不少人不會微笑了，我明天仔細觀察……」

笑……有聲音的笑，我們的強項！

道長：「第三個意識，顫抖意識。

「顫抖意識是身體自始至終的、自發的本能的存在，而不是自己讓自己顫抖起來。有意識讓自己抖起來是顯在的，我要求的是潛在的意識。顫抖是什麼意思？顫抖是我們要找的一個東西，這個東西是：我們生命的節律。

「我們的生命是有節律的。比方說本命年，一般從概率上來說，本命年的運勢都會差一些，它是十二年一個遞增，這個就是生命的一種節律體現。還有平時民間都知道的七十三、八十四，老人到了這個年齡如果正好有重病，就比較難以過關了。還有潮漲潮落，月圓月缺，這些與女子的經期就有關係。爲什麼？有多少人想過，一切所謂自然的現象其實與生命都是有關聯的？它們與我們的生命相連爲一個規律，這個規律就叫節律。節律在我們的生命中就像一首美麗的歌，一直在流淌。我們是在這個歌的旋律裡奔跑、跳躍、順應、體會著它。練功就是我們希望能夠充分發揮生命賦予我們的潛力，能夠實在找到它。

「我們知道在我們體內實際上存在著一種能量的運動狀態：波動。二十一世紀最重要的是進入一個波動的世界，一切都是波動的。科學家們努力做了大量的實驗，證明生命體與自然世界是可以發生微波通訊的。我們已經進入了一個波動的世界，在這個波動的世界，我們用能量來描述生命的存在狀態，尋找生命自有的節奏。

「尋找我們生命自有的、本有的節律，非常重要。大家是不是還記得我們在中學的物理課上做過這樣的實驗，在一塊磁板上放上一些碎鐵屑，然後輕輕的抖動，這些碎鐵屑就會自然地、有序地排列。你們還記得嗎？同樣的道理，對於我們每一個生命體來說，地球是一個很大的磁場，我們的生命也有磁場，如果找到生命的節律，我們很快會使生命有序化，我們的生命會達到最健康的狀態，我們的生命會回到一個整體的磁場裡面去。這個節律不是我們憑空想的，而是我們能夠體會到的，在練功練到一定程度後，我們就能明顯感受到體內的這個節奏感，就像你們一開始體會不到你們的氣感一樣，進入狀態、進入功態、入靜了，每一個人都會體會到。」

一人顯得無奈又失意地：「眞的人人都能體會到嗎？我都來兩天了，練好幾次樁功了，並沒有什麼顫抖感啊……都是站不住的感覺。」

道長：「人人都會體驗到。因爲這個是你生命自有的，你只要發現生命的節律，透過我們意念的尋找。不用擔心，這可能需要一段時間，練到一定的程度。一旦你找到這種節律感的時候，體會到整個身體節奏的時候，能夠『律動』的時候，你們功的效果和身體的狀態就會發生質的變化。在正常情況下，幾個月就能夠發生這樣的變化。」

生的偉大：「我一直在抖，但是我感覺是因爲那種姿勢讓腿太酸了，屬於是站不住了發抖，這個是不是『生命的律動』？」

無話不說（完全是回應生的偉大之前說他的盤子比意志大）：「像你這樣偶爾站一次就抖得站不住的，如果也算是生命的律動，也太神了！發抖的事多了……」

道長笑：「那是兩回事，完全不是。有沒有人已經感受到的？」

盧先生舉手：「我第一次辟穀結束後回香港，還沒有什麼體會。但是我每天都練習站樁，有一天感覺到了，小腿突如其來的顫抖，然後那種通暢的感覺瞬間遍及全身。以前我和剛才那位朋友的感覺一樣，是站不住了小腿在抖動，但是那次是完全不一樣了。當我突然體會到了的時候，我都不想結束樁功，小腿一直在抖，就是道長說的那種生命的律動，特別舒服！你們慢慢練，一定會體會到的。」

我還沒有體會到，尙在「腿發酸」階段，我琢磨著這兩種抖動的差別……

道長：「在練功的時候，實際上就是把我們的生命交給了自己，同時也交給宇宙的大循環。練功的時候，我們要有意念去尋找。你們『站樁』時有時會出現晃蕩，身體有時會朝一個方向引導、傾向，你們不需要去控制、把握它，在這種狀態中，生命有自己的穩定系統。『自穩系統』非常重要，是生命免疫系統中最高層次的狀態。我們的生命自己有一個力量，這個力量能夠治療身體的一切疾病。」

33

第五天的異象

凌晨之後輕鬆回到房間，但是可怕的事情出現了：

我發現小便變成了深黑色，像放了好多天的茶葉水，也像煮過的醬油……

是尿血嗎？我一片暈眩……

子夜靜候。小道士們要在每天的這個時間，在這間練功房練習他們的功夫。大家互道「無量壽福」，款款散去。經過幾天的修煉，彼此的見面、道別，已然有一些從容自在的娓娓風度。只是經道長點撥，我仔細辨認，有的「娓娓」面含微笑，有的「娓娓」依然帶有紅塵的緊張與疲憊，是沒有微笑的眞誠道別。眞的是「會大笑的人未必會微笑」，在無法微笑的襯托下，哄然「大笑」像是一種被劫持了的突然舉動，呵呵……只有生的偉大，任何時候都能夠咧出一口嚇人的白牙，沒心沒肺地展露童年純眞的痕跡……

這一天又過去了。

從練功房出來，已經接近午夜，雨還在細細、慢慢、無聲地下。我們幾個毫無睡意。和幾天前相比，我今天的狀態又飽滿又閃亮，就像燈光下晶瑩的雨珠。

夜黑黑，雨沙沙，我們坐在養生中心的沙發上「嘰嘰呱呱」……

無話不說：「也確實挺神的！下午常月爲我治療，不斷地從我的身上往外抓什麼東西，看得我糊塗，我問她在抓什麼呢？常月說，『抓病氣』。我納悶：怎麼病還有病氣？我自己弄點兒氣出來都費那麼大勁！我說，『有東西抓出來嗎？』她說有；我就問，那是什麼樣的？常月說，『是一團黑色的東西』，還問我能不能夠看見？說那就是病症。」

生的偉大笑：「你看見沒有？」

無話不說：「我能看見，我自己抓了，所以這也難知眞假。但是我的身體眞的就是這麼被她一抓兩抓的，一把一把抓好起來了，血糖降低了。」

生的偉大笑：「現在他們給你治病，就是像大禹治水，幫助你疏通，從你身上抓出來的都屬於堵塞了管道一類的……再不抓就可能臭了……」

我問生的偉大：「你不是不相信這些嗎？」

生的偉大：「我的不相信，也是道的一部分，所以無論我怎麼樣，也屬於是道在證道，哈哈……」

無話不說：「雖然不給我辟穀，幾乎我就記仇了，但是如果真的能夠治好我的糖尿病，我一定TMD洗心革面，痛改前非，要好好的生活了。以前確實是太『做（zuō）』了，都是以爲『沒事』，像覺得自己永遠不會死。這些事兒，病得很慘、死亡什麼的，好像和我們沒什麼關係。只有真的病了的時候，才知道，『那樣』，好吃好睡什麼的，才是和我沒什麼關係了……」

胖子點頭：「我也是意識到了要珍惜生活。你若辟穀了，感受就更深了……」

無話不說：「別提我辟穀什麼的……」

胖子笑……

無話不說：「我反省之前的生活，確實是叫一個糟蹋。現在想起來，像是自己恨自己，都是和自己過不去，不好好吃東西，也不讓自己好好睡覺，像和自己有仇……這個覺悟太有價値了。」

胖子：「我們從小有病就是上醫院，都是這樣的概念。如果不來這裡，不親身體驗這些，怎麼可能說有病不去醫院，就這樣病著？沒有人會這麼做、敢這麼做的。還有用藥的問題，我這麼高的血壓，有哪位醫生敢說『可以不吃藥』？西醫對人體病症的控制，就是完全依賴藥物，像我的高血壓、你的糖尿病……都是，沒有辦法放棄。這，我才知道人體自身有這樣的能力和功能，只是我們沒有去開發，自己也不知道。這個認識太重要了，從來沒有人這樣跟我們講過。」

生的偉大：「你平時沒有吃完的那麼多的藥，現在都難逃過期作廢的命運了吧？」

胖子：「那不是藥，那是營養品。」

生的偉大笑：「那也不是用進廢退了嗎？吃多了，你自己體內就不生產維生素了嘛！」

胖子欣慰地撫摩著自己的肚子：「我這個肚子啊，是我多年的一個心病，我都不知道怎麼讓它消下去！現在，看，消失了……」

生的偉大：「美容的方式可以抽脂……」

胖子：「抽脂不是萬全之策，抽完脂，皮膚鬆弛了，皮膚裡面的血管瞬間、毫無準備地被破壞，非常容易造成血栓。」

無話不說意味深長地看著胖子：「你這麼多天不吃東西，眞的一點都不餓嗎？眞的沒有偷吃什麼？我確實還有點不信……」

生的偉大：「呵呵，就是因爲你這點不信，道長怎樣都不給你辟穀……道長還是有洞察力的！」

胖子：「神！平時我也想節食，就是節不下去！兩頓不吃就餓得頭發昏，但是現在，有點餓感就練功，一整天還是活蹦亂跳的，沒有奄奄一息，都五天了，連一點奄奄一息的感覺、跡象都沒有！若不是自己，我也不信，平時我們誰敢這麼多天不吃東西？」

小男從樓梯下來：「怎麼我的睏勁兒過去了，睡不著了……你們在聊什麼呢？」

生的偉大：「原先我們都以爲人要活下去只有一個方法，就是把東西永遠地吃下去。現在知道了，你們可以像一棵植物或者一株蔬菜，直接光合作用活著。」

小男：「呵呵，你吃東西的，難道就不光合作用了嗎……」

生的偉大：「我們的程序不一樣。我們是植物、蔬菜經過光合作用長好了，被我們採食，吃下去再轉變爲能量；現在你們連採食、消化的過程都不需要了，讓道長開個頂，直接光合作用，呵呵。科學應該研究一下的不是你們的這個能力，而是既然都直接光合了，不需要採食、不需要消化了，爲什麼還有排泄？」

笑。

人馬座：「你還沒有回答，到底有沒有偷吃？你那麼愛吃，我怎麼也不大相信呢？」

胖子非常得意：「你們這些俗人！怎麼可能偷吃啊？誰會這麼傻，捨得偷吃啊？你們都不知道我們現在怎麼感覺，眞該讓你這樣不相信的人來試試！」

小男：「不過看你們吃東西眞是好！我怎麼以前自己吃飯從來沒有這麼覺得過呢？」

胖子興奮地：「哎呀，我辟穀結束了要吃豆腐干！」

生的偉大：「你們白天抄經的時候，我翻看他們以前抄經的，看見以前的人抄《清靜經》抄到後來，都是默寫菜譜了，哈哈……」

凌晨之後輕鬆回到房間，但是可怕的事情出現了：

＊　＊　＊

我發現小便變成了深黑色，像放了好多天的茶葉水，也像煮過的醬油……

是尿血嗎？我一片暈眩……

待續……

《生命不僅僅如此》之三，將更爲精彩。

衆生系列　JP0083
【世上是不是有神仙2】

生命不僅僅如此——辟穀記（上）

作　　者／樊馨蔓
副 主 編／劉芸蓁
行　　銷／顏宏紋、李君宜

總 編 輯／張嘉芳
出　　版／橡樹林文化
城邦文化事業股份有限公司
台北市民生東路二段141號5樓
電話：(02)25007696　傳眞：(02)25001951
發　　行／英屬蓋曼群島家庭傳媒股份有限公司城邦分公司
台北市民生東路二段141號2樓
書虫客服服務專線：(02)25007718；(02)25007719
24小時傳眞專線：(02)25001990；(02)25001991
服務時間：週一至週五上午09:30～12:00；下午1:30～17:00
劃撥帳號：19863813；戶名：書虫股份有限公司
讀者服務信箱：service@readingclub.com.tw
城邦讀書花園網址：www.cite.com.tw
香港發行所／城邦（香港）出版集團有限公司
香港灣仔駱克道193號東超商業中心1樓
電話：(852)25086231　傳眞：(852)25789337
E-mail：hkcite@biznetvigator.com
馬新發行所／城邦（馬新）出版集團
Cite (M) Sdn Bhd
41, Jalan Radin Anum, Bandar Baru Sri Petaling,
57000 Kuala Lumpur, Malaysia.
Tel: (603) 90578822
Fax:(603) 90576622
email:cite@cite.com.my

版面構成／歐陽碧智
封面設計／周家瑤
印　　刷／韋懋實業有限公司

初版一刷／2014年2月
ISBN／978-986-6409-71-4
定價／320元

城邦讀書花園
www.cite.com.tw

國家圖書館出版品預行編目（CIP）資料

生命不僅僅如此：辟穀記(上) / 樊馨蔓著. -- 初版. -- 臺北市：橡樹林文化，城邦文化出版：家庭傳媒城邦分公司發行，2014.02
面；　公分. --（衆生系列；JP0083）
ISBN 978-986-6409-71-4（平裝）

1.中醫　2.養生　3.道家

413.21　　102026655

廣　告　回　函
北區郵政管理局登記證
北 台 字 第 10158 號

郵資已付　免貼郵票

104 台北市中山區民生東路二段 141 號 5 樓

城邦文化事業股份有限公司

橡樹林出版事業部　收

請沿虛線剪下對折裝訂寄回，謝謝！

|橡|樹|林|

書名：生命不僅僅如此——辟穀記（上）　書號：JP0083

橡樹林文化

讀者回函卡

感謝您對橡樹林出版社之支持，請將您的建議提供給我們參考與改進；請別忘了給我們一些鼓勵，我們會更加努力，出版好書與您結緣。

姓名：＿＿＿＿＿＿＿＿ □女 □男 生日：西元＿＿＿＿＿年

Email：＿＿＿＿＿＿＿＿＿＿＿＿＿＿＿＿

● 您從何處知道此書？

□書店 □書訊 □書評 □報紙 □廣播 □網路 □廣告 DM □親友介紹

□橡樹林電子報 □其他＿＿＿＿＿＿

● 您以何種方式購買本書？

□誠品書店 □誠品網路書店 □金石堂書店 □金石堂網路書店

□博客來網路書店 □其他＿＿＿＿＿＿

● 您希望我們未來出版哪一種主題的書？（可複選）

□佛法生活應用 □教理 □實修法門介紹 □大師開示 □大師傳記

□佛教圖解百科 □其他＿＿＿＿＿＿

● 您對本書的建議：

＿＿＿＿＿＿＿＿＿＿＿＿＿＿＿＿

＿＿＿＿＿＿＿＿＿＿＿＿＿＿＿＿

＿＿＿＿＿＿＿＿＿＿＿＿＿＿＿＿

＿＿＿＿＿＿＿＿＿＿＿＿＿＿＿＿

＿＿＿＿＿＿＿＿＿＿＿＿＿＿＿＿

非常感謝您提供基本資料，基於行銷及客戶管理或其他合於營業登記項目或章程所定業務需要之目的，家庭傳媒集團（即英屬蓋曼群商家庭傳媒股份有限公司城邦分公司、城邦文化事業股份有限公司、書虫股份有限公司、墨刻出版股份有限公司、城邦原創股份有限公司）於本集團之營運期間及地區內，將不定期以 MAIL 訊息發送方式，利用您的個人資料於提供讀者產品相關之消費與活動訊息，如您有依照個資法第三條或其他需服務之務，得致電本公司客服。

我已經完全瞭解左述內容，並同意本人資料依上述範圍內使用。

＿＿＿＿＿＿＿＿＿＿（簽名）

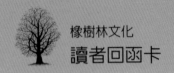